Les apprentis sorciers

Alexandra Henrion Caude

Les apprentis sorciers

Albin Michel / Versilio

Cet ouvrage a été rédigé
en collaboration avec Ambre Bartok.

À Marie.

À mon mari, qui me soutient indéfectiblement.
À mes enfants, qui ont vaillamment supporté
les attaques contre moi.
À mes parents, qui m'ont donné le goût
du travail et de la persévérance.
À mes grands-parents, qui m'ont appris la droiture
et insufflé l'esprit de résistance.

Aux victimes des apprentis sorciers,
comme à ceux qui ont été suspendus.
À toutes les mères du monde,
qui ont à cœur de protéger leurs enfants.

À Adam, Meryl et Ruben.

Note de l'éditeur

L'ouvrage d'Alexandra Henrion Caude livre aux lecteurs une analyse et une position critique concernant les vaccins à ARN messager destinés à protéger contre le Covid. Il s'inscrit à certains égards en opposition avec la position du Conseil scientifique qui a inspiré la politique de santé publique et vient nourrir le débat en cours sur les risques et les effets secondaires de certains vaccins, ce qui nous semble important. En tout état de cause, ce livre ne doit pas être considéré comme une incitation au refus de vaccination, mais comme une contribution à la réflexion générale sur ce sujet, qui est un point fondamental de santé publique.

Introduction

Docteur en génétique, je suis un chercheur franco-britannique. Pendant vingt-cinq ans, j'ai étudié comment l'environnement modifiait nos gènes, et notamment l'ARN, dans les maladies infantiles. Directrice de recherche à l'Inserm après un post-doctorat à la Harvard Medical School, mes travaux m'ont valu d'être invitée dans le monde entier. Mais en 2015, j'ai eu à cœur de rechercher des solutions de santé simples, peu coûteuses, durables et éthiques. Je suis partie en Afrique, à Maurice, où j'ai ensuite fondé mon institut de recherche : SimplissimA. La presse m'a congratulée. Et puis il y a eu le Covid. Cette crise a été pour moi une obligation à prendre mes responsabilités. Et à m'indigner quand je trouvais cela nécessaire. La presse m'a d'un coup dit d'extrême droite. Je ne le suis pas. Je n'ai d'ailleurs jamais adhéré ni exprimé mon soutien à un parti politique. On m'a dit intégriste, et sectaire. Je ne le suis pas non plus. Je suis simplement catholique et mère de cinq enfants.

Ces accusations n'avaient qu'un motif : me discréditer et ainsi me réduire au silence. Parce que je n'ai pas cru à la fable qui faisait du pangolin ou de la chauve-souris les responsables du Covid. Parce que j'ai osé quitter ma blouse et mes fioles pour clamer il y a trois ans ce qui aujourd'hui est de notoriété publique : les hommes sont responsables de l'apparition de ce virus. Parce que j'ai aussi osé dire que les tests PCR ne sont pas sans risque, et que c'est une folie de traiter une population saine comme si elle était malade… Voilà les raisons pour lesquelles on m'a aussi accusée d'être « complotiste ». Je le suis si cela signifie regarder les faits, les chiffres. Je le suis si cela signifie dénoncer des mensonges. Il ne s'agit pas ici de traiter de météo ou de mode, mais de la santé de milliards d'êtres humains. Voilà pourquoi dans ce livre vous apprendrez ce qu'est l'ARN, et précisément l'ARNm, celui des vaccins anti-Covid.

Êtes-vous prêts ?

1

Un vaccin à ARN messager qui tient ses engagements… mais pas tous

Dire que le monde a été pris de panique lorsque le Covid a fait son apparition est un euphémisme. Souvenons-nous que les chaînes de télévision du monde entier ne parlaient que de cela, que les radios tournaient aussi en boucle, que les unes de la presse aux quatre coins de la planète titraient encore et encore sur le sujet. C'est simple, *Le Journal du dimanche* (*JDD*) écrivait le 13 juin 2020 : « Plus d'un million d'articles sur l'épidémie ont été publiés dans la presse depuis le 1er mars[1]. » Des millions d'heures d'antenne entièrement dédiées au Covid se sont écoulées, et ce, rien que sur les trois premiers mois de la crise sanitaire. La Terre entière était épouvantée. Qu'attendait-on ? De sortir du péril, évidemment. Le vaccin a joué ce rôle. Il a été annoncé par les gouvernements comme LA solution pour nous extirper de là. Et c'est vrai qu'il a pu redonner espoir.

Les personnes âgées, les principales victimes, ont

été nombreuses à se faire vacciner après des mois de terreur et d'isolement. Les personnes vulnérables aussi ont vu dans ce vaccin une promesse, et pas n'importe laquelle : celle de la survie.

Cette demande avait été formulée par l'Organisation mondiale de la santé (OMS) dès le début de la crise. Le 11 février 2020, elle rédige une feuille de route à l'intention des États[2]. Il est demandé aux scientifiques :

– Premièrement, d'accélérer la recherche, donc de trouver un vaccin à la vitesse de la lumière, en tout cas à une vitesse jamais atteinte.

– Deuxièmement, d'étudier, une fois que le vaccin sera créé, les risques de maladies postvaccinales.

– Troisièmement, de créer des tests pour évaluer l'efficacité de ces vaccins.

Et là, force est de constater que les pays, main dans la main avec les labos, ont répondu présent. Entre l'objectif formulé et la première injection officielle dans le monde, aux États-Unis précisément, dix mois jour pour jour se sont écoulés. La rapidité avec laquelle l'industrie pharmaceutique a cherché, trouvé, développé, puis lancé le vaccin contre le Covid dans le monde entier a été phénoménale.

Côté Moderna, on ne s'est pas tourné les pouces. « Lorsque la séquence génomique du virus a été publiée en ligne par des scientifiques chinois le

11 janvier 2020, l'équipe de Moderna, basée à Cambridge, dans le Massachusetts, avait une conception de vaccin prête dans les quarante-huit heures[3] », indique le laboratoire. Ces propos ont été relayés par le journal *Forbes* le 8 mai 2020. Mais l'exploit ne s'arrête pas là. On apprend que le laboratoire envoie un échantillon de son premier vaccin candidat tout juste quarante-deux jours après avoir trouvé sa formule. En clair, on a donc affaire à une équipe qui aura trouvé l'équation en deux jours et l'aura développée en produit fini en quarante-deux jours.

Dans une synchronicité quasi parfaite, Ugur Sahin, le cofondateur de BioNTech, n'aura mis que « quelques heures » en une seule journée, le 25 janvier 2020, pour trouver la formule de son vaccin ! Cette information nous est donnée lors d'un podcast du *Wall Street Journal*, puis confirmée par le porte-parole de BioNTech dans les colonnes du journal *Business Insider*[4]. Là encore, une rapidité et une efficacité inédites.

Voilà pourquoi j'affirme que ce vaccin à ARNm a fait sortir des hommes et des femmes de leur détresse morale. Mais s'il a tenu cet engagement, cela n'a pas été le cas pour tous...

On nous avait dit :

« L'espoir est là, dans ce vaccin[5]. » (Emmanuel Macron, président français, le 31 décembre 2020)

« Depuis quelques jours, l'espoir a un visage : celui des premiers vaccinés[6]. » (Angela Merkel, chancelière allemande, le 31 décembre 2020)

« Il ne s'agit pas de liberté, ou de choix personnel, mais de vous protéger ainsi que ceux autour de vous[7]. » (Joe Biden, président américain, le 9 septembre 2021)

« La propagation de la pandémie ne peut être évitée que par la vaccination[8]. » (Vladimir Poutine, président russe, le 30 juin 2021)

« Appeler à ne pas se faire vacciner, c'est essentiellement appeler à mourir. On ne se fait pas vacciner, on tombe malade, on meurt. Ou on tue : on ne se fait pas vacciner, on tombe malade, on contamine, quelqu'un meurt[9]. » (Mario Draghi, Premier ministre italien, le 22 juillet 2021)

Tous les présidents, les chefs de gouvernement et les ministres de la Santé du monde entier nous ont donc répété à tue-tête que le vaccin était le messie. Vraiment ?

Est-ce que le vaccin a stoppé l'épidémie ? Non.

Est-ce que le vaccin empêche d'attraper le Covid ? Non.

Est-ce que le vaccin empêche d'attraper à nouveau le Covid ? Non.

Est-ce que le vaccin empêche d'infecter les autres ? Non.

Est-ce que le vaccin empêche de mourir du Covid ? Non.

Non, ce vaccin n'a pas arrêté l'épidémie. Ainsi, le 10 janvier 2023, on recense 296 936 nouveaux cas de Covid par jour dans le monde.

Non, il n'a pas non plus empêché d'attraper le Covid, une fois, deux fois, ou plus encore. Comme le prouve une étude publiée fin 2021 dans *Science* : sur 780 000 retraités de la Health Administration suivis aux États-Unis entre février et octobre 2021, la protection vaccinale est passée en moyenne de 86,9 % à 43,3 % sur cette période[10]. Le directeur général de l'OMS a donc raison de déclarer dès le 23 novembre 2021 : « Si vous êtes vaccinés, vous risquez tout de même de contracter la maladie[11]. »

Ce sont d'ailleurs les chefs d'État eux-mêmes qui le démontrent le mieux : Andrzej Duda en Pologne, vacciné et positif pour la seconde fois en janvier 2022, Andrés Manuel López Obrador au Mexique, vacciné et positif en janvier 2022, le roi Charles d'Angleterre, vacciné et positif en février 2022, le prince Albert II de Monaco, vacciné et positif en avril 2022, Justin Trudeau au Canada, vacciné et positif en juin 2022, le président Lula du Brésil, vacciné et positif en juin 2022, Joe Biden aux États-Unis, vacciné et positif en juillet 2022… Une liste que j'abrège pour poursuivre sur les autres engagements ratés de ce vaccin.

Non, le vaccin n'empêche pas non plus d'infecter les autres. Selon l'étude la plus récente publiée par le *New England Journal of Medicine*, en juin 2022, qui a l'intérêt de comparer à la fois des non-vaccinés, des vaccinés sans rappel, et des vaccinés avec rappels : « Nous n'avons pas trouvé de grandes différences dans la durée médiane de l'excrétion virale entre les participants[12]. » Autrement dit, vaccin ou pas, rappels ou pas, lorsque vous êtes porteur du virus, vous êtes possiblement contagieux…

Allons plus loin. Selon une étude de Harvard, publiée dans le *European Journal of Epidemiology*, l'augmentation des cas de Covid n'est pas liée au taux de vaccination. C'est ce que montre une analyse faite dans 68 pays[13]. En Israël, au Portugal et en Islande, c'est entre 60 % et 75 % de la population qui est entièrement vaccinée. Et pourtant, c'est étonnamment dans ces pays que l'on recense le plus de cas de Covid par million d'habitants. Il faut préciser que cette étude date du 30 septembre 2021, c'est-à-dire avant l'arrivée des nouveaux variants, qui n'ont fait que renforcer cette tendance.

Une étude récente menée en Afrique du Sud et publiée dans le *New England Journal of Medicine* en septembre 2022 nous apprend en effet que face à Omicron deux doses de vaccin, tout comme trois doses, ne sont pas efficaces, puisqu'elles n'empêchent pas l'hospitalisation[14], autrement dit les formes graves.

Et puis, il y a les engagements auxquels on se serait attendus, mais qui n'ont pourtant jamais été énoncés. Je pense à l'engagement de ne pas nous faire mourir, comme à celui de ne pas occasionner des effets secondaires de nature à bouleverser toute une vie... Le fameux principe de la médecine de ne pas nuire. Un principe qu'on imagine partagé par tous.

On a compris que le ton était tout autre dès que l'on a eu accès à ces documents de Pfizer que nous ne devions pas lire avant 75 ans (et 4 mois). Nous y apprenons qu'en trois mois d'essais cliniques, environ 14 morts par jour ont été enregistrés par Pfizer, avec exactement 1 223 décès et 158 893 effets indésirables enregistrés entre le 1er décembre 2020 et le 28 février 2021[15].

Et effectivement, que l'on prenne les données de pharmacovigilance des différentes autorités existantes, que ce soit l'ANSM (Agence nationale de sécurité du médicament) en France, le VAERS (systèmes de rapport des effets secondaires des vaccins) aux États-Unis, Eudravigilance pour l'Union européenne, la Yellow Card au Royaume-Uni, la DAEN en Australie, ainsi que VigiBase/VigiAccess pour l'OMS, on observe chaque fois un nombre extrêmement alarmant d'événements indésirables et de décès.

En prenant les dix dernières années dans la base de données du VAERS, on note 4 800 % de décès en plus, suite au vaccin anti-Covid. En prenant VigiAccess, il a suffi d'une seule année de vaccin anti-Covid pour atteindre dix fois plus d'effets indésirables que tous les effets secondaires obtenus contre la grippe en cinquante ans. À ce jour, ce sont « plus de 11 millions de rapports d'événements indésirables et plus de 70 000 décès » qui ont été rapportés[16].

Toujours dans la base du VAERS des États-Unis en date du 9 septembre 2022, si l'on ne regarde que les formes graves, on comptait plus de 30 000 morts, 177 000 hospitalisations, 135 200 urgences, 10 000 chocs anaphylactiques, ainsi que près de 58 000 handicaps permanents, 52 000 myocardites, 34 000 mises en danger de la vie, 44 700 réactions allergiques sévères, 16 000 crises cardiaques, près de 15 000 zonas, 9 000 problèmes plaquettaires de type thrombocytopénie et 5 000 fausses couches dans lesquels un lien avec les vaccins Covid est incriminé[17].

Sans que personne en parle, la base de données VigiAccess indique que les principales victimes de ces vaccins sont majoritairement des femmes. Deux tiers de femmes contre un tiers d'hommes. Près d'une victime sur deux est européenne. Et les jeunes entre 18 et 44 ans, qui n'étaient pourtant pas à risque du Covid, représentent 40 % des victimes[18].

Actuellement, ce sont des milliers de publications scientifiques qui viennent soutenir la description de ces maladies et décès post-vaccination.

Mais ces articles alertent aussi sur l'effondrement de la réponse immunitaire chez les vaccinés, et sur le danger que représentent de nouvelles injections pour eux, comme le rapporte *The Lancet* en juin 2022. Voici ce qu'en écrit un chercheur dans *Virology Journal* : « Récemment, *The Lancet* a publié une étude sur l'efficacité des vaccins Covid-19 et le déclin de l'immunité avec le temps. L'étude a montré que la fonction immunitaire chez les personnes vaccinées huit mois après l'administration de deux doses de vaccin Covid-19 était inférieure à celle des personnes non vaccinées[19]. » Il poursuit : « Selon les recommandations de l'Agence européenne des médicaments, des injections de rappel Covid-19 fréquentes pourraient avoir un effet négatif sur la réponse immunitaire. » Et d'ajouter : « Par mesure de sécurité, les rappels ultérieurs doivent être interrompus. En conclusion, la vaccination contre le Covid-19 est un facteur de risque majeur d'infections chez les patients gravement malades. » Comprenez que l'on a un souci avec la réponse immunitaire des vaccinés, un risque à multiplier les doses, mais aussi que la vaccination peut être dangereuse pour les plus vulnérables.

Le 12 juillet 2022, dans le *British Medical Journal* (*BMJ*), un groupe de scientifiques interpelle les deux patrons respectifs de Moderna et Pfizer, afin que les données des essais cliniques, et pas uniquement les protocoles, soient enfin rendues publiques. Ils s'inquiètent notamment du fait que, selon leurs informations, les vaccins Pfizer et Moderna présentent tous deux une augmentation du risque absolu d'événements indésirables graves de 1 pour 800 vaccinés[20].

Le 31 août 2022, une étude paraît dans la revue *Vaccine*, qui évalue les effets secondaires graves dus au vaccin chez les adultes[21]. Pour cela, ils ne partent pas de leurs propres appréciations, mais se fient à la liste des effets secondaires de la Brighton Collaboration qui est affiliée à l'OMS. Il apparaît pour la première fois clairement que les personnes vaccinées, dans les deux études combinées, présentaient un risque accru de 16 % d'effets secondaires graves par rapport au groupe placebo. Dans l'étude Moderna, 15 participants vaccinés sur 10 000 ont subi un effet secondaire grave. Dans l'étude Pfizer/BioNTech, le risque est de 10 pour 10 000. Les deux études compilées montrent donc bien une augmentation de 16 % du risque d'effet secondaire grave après la vaccination. Tout cela pour dire que « le rapport bénéfice/risque dans les données randomisées au moment de l'autorisation d'urgence était négatif, c'est-à-dire que le risque d'effet secondaire grave était plus élevé que le bénéfice démontré». Vous trouverez évidemment le lien de cette étude, comme de toutes celles citées dans le livre d'ailleurs, en fin d'ouvrage.

Cette étude va faire suffisamment de bruit pour qu'en Allemagne, le 9 septembre 2022, le principal quotidien berlinois, le *Berliner Zeitung*, s'y intéresse et interviewe l'épidémiologiste et professeur émérite à l'université de Münster, Ulrich Keil. «Nous constatons donc une augmentation absolue du risque dû à la vaccination ARNm-Covid-19[22] », explique-t-il.

Le 12 septembre 2022 est publiée une autre étude, qui révèle cette fois que le vaccin peut être plus dangereux que le virus lui-même, jusqu'à 98 fois plus dangereux. Elle est menée par des scientifiques de Harvard et de Johns-Hopkins, dans la revue *Social Science Research Network* (SSRN), et repose sur les données du Centre pour le contrôle et la prévention des maladies aux États-Unis (CDC) et des laboratoires eux-mêmes, chez de jeunes adultes entre 18 et 29 ans. Elle indique que les obligations de rappel peuvent causer les préjudices suivants : «Pour une hospitalisation Covid-19 évitée chez les jeunes adultes non infectés auparavant, nous prévoyons 18 à 98 événements indésirables graves[23].» Il s'agit notamment des myocardites. Ils jugent ces préjudices comme n'étant « pas contrebalancés par un avantage important pour la santé publique » et considèrent « ces préjudices et restrictions de liberté [...] disproportionnés et éthiquement injustifiables ».

Regardons sur-le-champ l'étendue de ces effets indésirables, grâce à la « liste prioritaire des événements indésirables d'intérêt particulier ». Cette liste provient de la très officielle Brighton Collaboration, qui est partenaire de l'OMS[24] :

- Désordres hématologiques, notamment des saignements internes ou externes, thrombocytopénies, troubles de la coagulation, thrombose, thromboembolisme, AVC ;
- Désordres immunologiques tels que des anaphylaxies dont les formes sont aggravées par le vaccin, les syndromes inflammatoires multisystémiques chez les enfants ;
- Désordres pulmonaires tels que le syndrome de détresse respiratoire aigu ;
- Désordres cardiovasculaires aigus dont myocardite, péricardite, arythmie, insuffisance cardiaque, infarctus ;
- Atteintes rénales et hépatites aiguës ;
- Désordres neurologiques dont les encéphalomyélites aiguës disséminées, les syndromes de Guillain-Barré et Miller Fisher, la méningite asep-

tique, la méningo-encéphalite, les convulsions généralisées, la paralysie du nerf facial, l'anosmie, l'agueusie ;

• Désordres dermatologiques dont les érythèmes multiformes, l'alopécie (chute des cheveux), les lésions de type engelures, la vascularite cutanée.

Cette liste est susceptible d'être mise « à jour à mesure que de nouvelles preuves apparaissent ».

Je pourrais aborder en détail chacune de ces maladies, mais par économie de temps et de frayeurs je ne vais insister que sur quelques-unes.

En premier lieu, les troubles menstruels sont désormais un chapitre important de la vie des femmes vaccinées. Ils concernent entre 10 % et 65 % des femmes vaccinées avec ou sans rappel, respectivement selon le ministère de la Santé en Israël et selon une publication italienne dans *Open Medicine* (février 2022)[25].

Il y a aussi un lien entre les troubles cardiaques de type myocardites et péricardites, et le nombre de doses de vaccins ARNm reçus par les jeunes hommes entre 12 et 39 ans. Ce lien est clairement établi dans différentes cohortes, que ce soit aux États-Unis (janvier 2022), dans les pays nordiques (avril 2022) et en Israël (avril 2022). Les résultats ont été respectivement publiés dans les journaux *JAMA* pour deux d'entre elles et *Nature* pour l'israélienne[26]. Ce risque augmente non seulement en fonction du nombre de doses, mais aussi en fonction de l'âge. À titre d'exemple, deux doses de Pfizer multiplient par 133 le risque de myocardite chez les enfants de 12 à 15 ans.

Autre événement indésirable grave : les troubles neurologiques. Des neuropathies à la démence, en passant par des neurodégénérescences, ces troubles sont les plus fréquemment rapportés après la vaccination, dans les bases de données officielles. VigiAccess, la base de l'OMS, liste 1,7 million de troubles neurologiques[27]. Il peut s'agir de troubles cérébraux vasculaires de type AVC ou thromboses veineuses cérébrales, des problèmes cognitifs et de mémoire de type Alzheimer, des troubles de neuropathie périphérique de type paresthésie, paralysie de Bell, épilepsie et convulsions et des neuropathies immunologiques de type syndrome de Guillain-Barré et myélite transverse.

Une étude prospective sur les maladies démyélinisantes inflammatoires, qui sont des maladies d'une gravité extrême, affirme que 8,5 % des patients ont développé les tout premiers symptômes dans les mois qui ont suivi leur vaccination anti-Covid[28]. Puis une autre de mai 2021 parue dans l'*Acta Neurologica Scandinavica*, qui compile les effets neurologiques. Puis une autre parue en juin 2021 dans *Cureus*. Puis une autre, publiée le 4 septembre 2021 dans le *Journal of Neurology*. Et encore une autre parue en octobre 2021, dans la revue *European Journal of Neurology*. Et encore une autre parue le 11 novembre 2022, où l'on apprend cette fois que 57 % des patients de l'étude développent des troubles neurologiques juste après la vaccination[29]. Et il y en a d'autres.

Je suis alors allée visiter le site d'un des fournisseurs de vaccins ARNm pour voir s'il donnait accès à une liste d'effets secondaires. Sur le site de Pfizer, je me suis rendue sur la page censée les lister[30]. En cliquant, on arrive sur un autre site, sur lequel il faut s'inscrire, ce que j'ai fait, en attente d'un lien, que j'attends toujours. Je me suis dit que mon ordinateur devait avoir un problème, j'ai donc demandé à plusieurs autres personnes de tenter cette même requête sur le site de Pfizer. Même résultat. La liste n'est pas accessible.

Mais attardons-nous un instant chez Pfizer : en naviguant sur leur site, j'ai trouvé d'autres informations intéressantes. Sur chacune de leurs pages apparaît un bandeau où est inscrit : « Les vaccins n'offrent pas une protection totale chez les personnes qui les reçoivent et ne sont pas indiqués pour traiter l'infection ou en réduire les complications. » Je résume : avec le vaccin, on n'est pas totalement protégé, soit ! Mais il ne traite pas non plus l'infection ? N'en réduit pas les complications ? Une seule question se pose alors : ce vaccin, il sert à quoi ?

Je continue ma lecture sur le site de Pfizer. « Pourquoi devrais-je me faire vacciner[31] ? » demande le labo, et voici ses réponses :

« 1. Pour vous aider à vous protéger et faire votre part pour votre collectivité. » Pourtant je croyais comprendre d'après le bandeau que le vaccin ne protège pas ?

« 2. Parce que la plupart des effets secondaires sont habituellement légers ou modérés et sont de courte durée. » Rassurant, non, le « habituellement » ?

Voilà pour les données de sûreté du vaccin vues du côté des labos. Admettons que les pays ayant vacciné leurs populations aient décidé de ne pas regarder cette liste : ce ne serait pas choquant. Pourquoi ? Parce que chaque État recueille lui-même ses données de sécurité dès le début du programme de vaccination, c'est du moins ce que l'on espère, parce que rien ne le prouve. Il est le plus souvent impossible de trouver ces informations, non seulement pour le grand public mais aussi pour les chercheurs.

Pour être tout à fait exact, un État, deux ou trois, ont réussi à mettre la main dessus. L'Écosse a pendant un temps diffusé ces informations, mais a décidé d'arrêter, officiellement pour ne pas donner d'infos aux antivax[32].

En Amérique aussi on l'a fait, enfin d'une certaine manière... Le 12 septembre dernier, le docteur Rochelle Walensky, directrice du CDC, l'agence du gouvernement américain chargée de la prévention, de l'étude et du contrôle des maladies, reconnaît publiquement dans une lettre que son agence a faussement affirmé surveiller la sécurité des vaccins dès 2021, alors qu'elle n'a commencé à le faire qu'en mars 2022[33].

Ajoutons que le Danemark ne recommande plus la vaccination pour les moins de 50 ans depuis le 13 septembre 2022[34]. Que la Suède ne recommande plus la vaccination des moins de 18 ans depuis le 1er novembre 2022[35], tout comme le Royaume-Uni depuis début septembre 2022 pour les 12-15 ans[36].

Seraient-ils en pénurie de vaccins ? Non, les commandes attestent le contraire. Sont-ils au courant que le risque est plus élevé que le bénéfice pour les enfants ? Il faut croire... mais avant de nous pencher sur la vaccination des jeunes et particulièrement des enfants, ce que je ne manquerai pas de faire, regardons de plus près ce qu'est l'ARN, puisque c'est sur cette molécule que l'on a tout misé pour nous sauver.

2

L'ARN, c'est quoi ?

Au fil de ces pages, vous allez comprendre ce qu'est l'acide ribonucléique. Sujet complexe, pensez-vous ? Que nenni. La science, comme toute discipline, peut être expliquée avec simplicité, ce que je vais m'employer à faire, car comprendre cette molécule n'a rien d'accessoire. C'est même capital pour répondre à ces questions : est-ce que vous vacciner à l'ARN était une idée judicieuse ? En clair, a-t-on joué aux apprentis sorciers ?

L'ARN, c'est un millefeuille. À la fois un short, une chemise, un manteau, un mouchoir et un torchon. C'est aussi une plante qui fait de la viande. Il est chef d'orchestre, musicien ou spectateur. C'est une phrase, des mots, des silences, un feu d'artifice, un jeu de poupées russes, des soudures. C'est Maître Yoda. Vous ne comprenez rien ? Un peu de patience. Toutes ces images vont dévoiler au fil des pages les facettes de cette molécule extraordinaire.

Les molécules sont la base de la vie, la base de

notre corps. Ce sont elles qui font de nous un humain, un chat, une pomme, une plante, etc. Et l'ADN et l'ARN font partie des milliards de molécules qui habitent notre corps. D'ailleurs, quand je dis « milliards », je suis bien en dessous de la vérité, puisque notre organisme est composé de mille quadrilliards de molécules, soit un nombre de 27 chiffres…

Nous sommes bâtis avec de l'ADN, de l'ARN et des protéines. Ce sont nos matières premières. Parce que c'étaient celles de nos parents, et celles de leurs parents encore avant eux.

Notre existence résulte en effet de la fusion de l'ADN de notre père et de celui de notre mère. À cela, il faut ajouter qu'on hérite d'un baluchon d'ARN de notre mère, d'un autre de notre père, et enfin d'un tas de protéines, le tout contenu dans une cellule. À partir de là, nous allons pouvoir créer d'autres ARN et d'autres protéines, qui donneront naissance à toutes nos cellules, et c'est l'ADN qui en donne l'ordre, l'instruction.

Chaque personne est le produit d'une fusion totalement unique qui explique, si elle a des frères et sœurs, qu'ils ne sont pas ses doubles. Pourtant, comme elle, ils sont faits de l'ADN du père et de la mère. Et c'est pour moi la source d'un émerveillement constant. À chaque rencontre, je me représente la chance que j'ai de croiser, de parler avec une personne, de la connaître, même si elle est antipathique, car elle est unique : il n'y en a jamais eu d'autre comme elle dans toute l'histoire de l'humanité, et on peut affirmer avec certitude qu'il n'y en aura jamais une autre après elle.

Notre identité propre, notre singularité, nous la devons à l'ADN et à l'ARN. Ces molécules sont, en l'état de nos connaissances, les seules à porter toute la programmation qui fait de nous un corps complet, capable d'exister le temps d'une vie. En effet, ce sont elles qui sont chargées du fonctionnement de notre organisme et de notre reproduction, ce qui leur confère un rôle central.

Maintenant que nous avons établi les similitudes de ces deux molécules, voyons ce qui les différencie :

1. Physiquement tout d'abord, l'ARN et l'ADN n'ont pas la même allure. L'ARN est une molécule d'une seule chaîne : on dit qu'il est simple brin, même s'il est parfois double brin (deux chaînes accolées l'une à l'autre), tandis que l'ADN est toujours double brin.

2. L'ADN et l'ARN sont composés de sucres (entre autres), non pas de glucose, le plus connu des sucres, mais de ribose. Dans le cas de l'ADN, on l'appelle **dés-oxy**-ribose parce qu'il a un atome

d'oxygène en moins. De cette différence découlent leurs noms respectifs d'acide **désoxyribo**nucléique pour l'ADN, et d'acide **ribo**nucléique pour l'ARN.

3. Ils parlent chacun leur propre langue, et si leurs langages respectifs restent très proches et complémentaires, ils n'en sont pas moins distincts, comme je vais vous l'expliquer dans quelques lignes.

4. L'ADN est stable, tandis que l'ARN est instable, donc plus vulnérable. Cela s'explique par sa structure simple brin d'une part, mais aussi par le fait que nos besoins en tel ou tel ARN évoluent en permanence selon ce qui nous entoure. En fonction de nos besoins à un instant *t*, tel ou tel ARN sera donc dégradé, ce qui signifie décomposé.

5. L'ADN reste toujours dans le noyau et dans les mitochondries, qui sont respectivement le coffre-fort génétique et les centrales énergétiques de la cellule. L'ARN, lui, se balade absolument partout, à l'intérieur comme à l'extérieur de la cellule. Partout dans notre corps, mais aussi partout sur terre. Vraiment partout.

6. Enfin, ils n'ont pas le même rôle : l'ARN coordonne quand l'ADN stocke. C'est logique, me

direz-vous, vu qu'il va partout. Pour cela, il communique avec tout le système : avec l'ADN, avec les protéines, mais aussi au sein de sa propre famille (entre molécules d'ARN).

Pour intégrer toutes ces notions, prenons l'exemple d'un ordinateur. Il est composé d'un disque dur. L'ADN est ce disque dur. Dans cet ordinateur, il y a aussi tout ce que l'on voit, tout ce dont on se sert : les touches, le clavier, le microphone, etc. Ce sont les protéines. Entre les deux, se trouve l'ARN, autrement dit toutes les soudures, tout ce qui relie l'ensemble des composants de l'ordinateur.

Dans le corps humain, on ne parle pas de soudures, mais de régulations, qui nous permettent de faire face à tout ce qui nous entoure. Et c'est l'ARN qui assure toutes ces régulations, ces ajustements nécessaires pour réagir face à nos différentes rencontres : microbes, nourriture, médicaments, pollution. Bref, tout ce qui nous entoure, ami comme ennemi. Ainsi, l'ARN permet à la machine, le corps en l'occurrence, de fonctionner.

Maintenant, pour que l'ordinateur marche, il lui faut de l'électricité. Or, il se trouve que notre corps dispose, dans toutes ses cellules, de petites centrales énergétiques, qu'on appelle les mitochondries, et qui produisent notre énergie.

Mais revenons-en à notre ordinateur, auquel il

ne faut plus que le langage pour être totalement opérationnel. Le langage d'un ordinateur est un langage binaire, fait de deux chiffres, tandis que le langage de notre corps est un langage génétique fait des quatre lettres A, T, G, C pour l'ADN, et A, U, G, C pour l'ARN. Très proches donc, et complémentaires : comme une fermeture éclair, ADN et ARN peuvent s'accoler, avec une complémentarité réciproque entre ces lettres.

En plus, il existe près de 160 modifications chimiques possibles de ces lettres, un peu comme 160 feux de couleur différentes. Ces modifications sont omniprésentes et essentielles, aussi bien pour le développement des spermatozoïdes et des ovules que pour la signalisation dans la cellule. Bref, autant de changements qui rythment notre vie.

Enfin, il faut noter que l'ARN se présente sous de multiples formes. Il peut aussi bien se présenter en brin rigide qu'en hélice ou en boucle. En fait, il a tant de formes possibles qu'on a inventé un mot rien que pour lui : on parle du « structurome » de l'ARN.

La famille de l'ARN est donc très nombreuse : il y en a des longs, des courts, des circulaires et bien d'autres encore. Pour ne citer que les ARN essentiels, nous avons : les ARNt, les ARNr, les microARN, les ARNsi, les ARNsh, les ARNpiwi, les ARNe, les ARNlnc, les ARNsn, les ARNsno, les ARNsca, les ARN hôtes d'autres ARN, les ribozymes, les ARNcirc, les ARNvt, les ARNy et bien sûr les ARNm, les fameux messagers dont vous entendez parler à peu près toutes les deux heures depuis le Covid, et auxquels je consacrerai un chapitre entier.

Inutile de poursuivre la liste, l'essentiel est d'avoir compris que dès qu'on touche à l'ARN, on entre dans des équilibres complexes, des tiroirs successifs, et il est parfois difficile de s'y retrouver.

J'en profite pour vous présenter l'un des petits derniers ARN récemment découverts : les microARN. Nous ne connaissons pas encore totalement leurs rôles, mais nous savons qu'ils sont très importants. Pourquoi ? Parce que leur localisation en cas de cancer ou autre maladie grave est anormale. Une question se pose alors : en sont-ils responsables ou luttent-ils contre ? Sont-ils là pour nous faire du bien ou du mal ?

Comme leur nom l'indique, ils sont tout petits, puisqu'ils ne mesurent qu'une vingtaine de lettres. C'est très, très petit, et malgré tout suffisamment spécifique pour partir à la pêche dans nos dizaines de milliers de gènes, et hameçonner pile celui qu'ils doivent réguler. Cette prouesse, ils la doivent au principe de complémentarité du langage génétique dont je vous ai parlé. En somme, les microARN sont des régulateurs fondamentaux. La preuve ? Ils contrôlent la multiplication et la croissance des cellules, le développement de l'embryon, la différenciation des organes (ce qui fait qu'une cellule devient un œil ou un cœur par exemple), et la mort des cellules. On fait difficilement plus crucial.

Je m'arrête quelques secondes pour ouvrir un tiroir parmi ces microARN et vous présenter un bijou : les MitomiR. Ce sont des microARN particulièrement précieux, parce qu'ils assurent le lien de la cellule avec nos mitochondries. Sans elles, nous ne pouvons pas vivre. Elles ajustent constamment notre métabolisme aux demandes de notre corps. Je pourrais consacrer mon prochain livre au seul sujet des mitochondries tant elles sont extraordinaires : elles contiennent toute notre destinée. Ainsi, elles portent la marque de notre passé, mais aussi celle du présent, puisque nous vivons, et celle de notre mort, dans sa programmation génétique. Avoir un trousseau de clés aussi simple à étudier et à manier que celui des MitomiR pour accéder à la mitochondrie est remarquable, pour comprendre comme pour soigner. Je ne dis pas cela parce que je suis celle qui les a découverts. Ni parce que j'éprouve une quelconque fierté à les avoir de fait baptisés MitomiR, mais vraiment parce que leur découverte ouvre de belles perspectives. Là où il faut de l'énergie (dans le cœur), là où il faut des décisions rapides (en cas de tumeurs, d'infection et d'inflammation par exemple), les MitomiR sont là. Ils pourraient notamment expliquer les différences qui existent entre les hommes et les femmes face à l'infection à SARS-CoV2.

L'ensemble des chercheurs s'accordent à dire que tous ces ARN sont pleins de promesses, parce que même si leur mission est de faire du mal, nous pouvons les cibler et les neutraliser. Je fais un aparté ici pour dire que nous savons possiblement tout retourner en notre faveur, chaque fois que nous avançons dans la connaissance.

Si je vous donne toutes ces informations sur les ARN, c'est pour que, la prochaine fois que vous entendrez dire dans un média que l'on sait parfaitement ce qu'est l'ARN messager (celui qui sert au vaccin), vous sachiez qu'on vous ment.

Les multiples formes d'ARN, leurs immenses capacités, leurs modifications, leurs rôles aussi divers que variés, le fait qu'il y en a partout, tous ces éléments nous interdisent de dire qu'on les connaît. On sait des choses à leur sujet bien sûr, mais on ne les connaît pas parfaitement. On n'avait pas le droit de dire qu'on savait ce qu'un vaccin à ARNm ferait à notre corps à long terme, ni même à moyen ou court terme.

Mais restons-en là pour l'instant. Pour l'heure, je préfère vous dire ce que l'on sait de l'ARN : qu'il est une molécule géniale – brillante – prodigieuse – talentueuse – fantast... Conclusion à laquelle vous arriverez en tournant cette page.

3

L'ARN, molécule géniale

Molécule géniale assurément, car elle porte en elle des promesses comme aucune autre molécule naturelle ! L'ARN concentre tout le pouvoir d'agir. Sans lui, l'ADN resterait aussi inanimé qu'un fossile, et les protéines ne construiraient rien. C'est l'ARN qui nous offre unité, connexion, adaptabilité et mémoire de ce qui a été vécu.

L'ARN, c'est aussi des promesses de diagnostics, de traitements. L'ARN est d'ailleurs tellement génial qu'il a reçu seize prix Nobel entre 1910 et 2020, dont neuf prix Nobel de physiologie et médecine, et sept de chimie[1] !

L'ARN est un puissant outil de diagnostic

Il est en effet très réactif à l'environnement, et central à toutes les régulations. Ainsi, des anomalies dans son dosage offrent un diagnostic à de nombreuses maladies : infectieuses (les tests PCR Covid qui dosent l'ARN du virus par exemple), génétiques, neurologiques, métaboliques, cancers... L'ARN est donc un outil pour établir un diagnostic.

En 2017, une équipe de chercheurs du MIT (Institut de technologie du Massachusetts) séquence l'ARN de cinquante patients atteints de troubles musculaires génétiques, sans connaître lesquels[2]. Ce qui signifie qu'en dépit des tests génétiques approfondis, aucune mutation n'avait été trouvée chez eux. Or, le séquençage des ARN a permis d'identifier des mutations qui n'avaient pas été détectées auparavant pour un tiers de ces malades. Cette étude illustre la puissance de l'ARN à résoudre les mystères non résolus.

En général, on effectue un diagnostic à partir de la protéine, en faisant une prise de sang. Pour prendre le problème à la racine, mieux vaut établir un diagnostic à partir de l'ARN que de la protéine, car il faut d'abord l'ARN pour ensuite produire la protéine. En remontant au niveau de l'ARN, on augmente donc les chances d'accéder à la cause de la maladie, et non plus à ses conséquences. Dans l'exemple que je viens de citer, le problème des malades se situe dans le muscle. Le fait que les mutations ont été identifiées elles aussi dans le muscle offre la possibilité de cibler directement ces mutations, et d'attaquer la cause du trouble au lieu de simplement en apaiser les symptômes. Se contenter de soigner les « conséquences » reviendrait à glisser la poussière sous le tapis, avec le risque de voir resurgir la maladie.

Prenons maintenant l'exemple d'une leucémie aiguë (cancer du sang) qui touche les enfants, et qu'on ne sait pas soigner. En 2021, des chercheurs étudient cette maladie en travaillant sur l'ARN. Ils récupèrent 1 500 prélèvements chez ces enfants, et ont la surprise de tomber sur certains ARN à des endroits où ils n'étaient pas censés être[3]. Comme cette anomalie est, par chance, retrouvée dans d'autres cancers que l'on sait soigner, cette découverte ouvre une piste de traitement. Voilà typiquement un exemple prouvant qu'étudier l'ARN permet de déboucher sur un diagnostic, offrant de nouvelles pistes pour soigner.

L'ARN permet un diagnostic non invasif

Je n'aime pas les diagnostics et traitements invasifs. Par conséquent, et évidemment si j'ai le choix, je vais éviter prises de sang, examens internes, injections de quoi que ce soit, et ce pour trois raisons.

La première est qu'à choisir, je préférerai toujours ce qui peut éviter la douleur au patient.

La deuxième raison est qu'un geste invasif, qu'il soit pour diagnostiquer ou soigner, n'est jamais anodin. Il peut entraîner des complications médicales et beaucoup d'entre nous le savent.

La troisième raison tient en un mot : salive.

Dans notre salive, nous avons notre ARN, mais aussi celui de nos microbes. Sachant cela, vous comprenez que l'on peut poser de très nombreux diagnostics par la salive, et ce sur n'importe quelle partie du corps.

Fruit de trois glandes, la salive est le reflet de notre état nutritionnel, de notre stress, et de la santé de nos cellules. Elle peut indiquer précocement la survenue d'un cancer par exemple ou de maladies neurologiques comme Alzheimer. C'est une sorte de réservoir pour les bactéries de nos intestins, de nos poumons. Elle dévoile l'efficacité de médicaments comme leur toxicité. Enfin, en cas d'infection par un virus, elle indique l'état clinique du patient, mais aussi sa réponse immunologique… voire sa contagiosité.

Pourtant, pour détecter le Covid, on a préféré aux tests salivaires le fait de nous enfoncer un coton-tige profondément dans le nez jusqu'au pharynx, ce qui n'était pas la meilleure idée. Non seulement parce que c'est parfois douloureux, que cela provoque souvent des migraines, des saignements et autres désagréments que nous connaissons bien désormais, mais aussi parce que ce corps étranger risque de toquer à la porte de notre cerveau, au point de faire « des brèches de l'étage antérieur de la base du crâne » ! C'est ce que dit l'Académie de médecine de France dans son communiqué de presse d'avril 2021, au titre éloquent : « Les prélèvements nasopharyngés ne sont pas sans risque[4] ». Elle recommandait « chez les enfants, de privilégier les prélèvements salivaires pour leur sécurité ».

Cette communication peut évidemment paraître tardive quand on sait que, dès août 2020, nous avions déjà une méta-analyse (revue de toutes les publications qui existent sur le sujet) qui montrait l'utilité de se diriger vers la salive pour diagnostiquer le Covid[5]. Mais saluons le fait qu'une telle autorité ait fini par le dire. Mieux vaut tard que jamais !

Aujourd'hui encore, toujours sur le Covid, paraissent des études montrant l'efficacité du prélèvement salivaire, et d'autres prouvant la dangerosité du prélèvement nasal. Ajoutons que les prélèvements salivaires ne sont parfois pas acceptés (dans les écoles notamment) pour prouver la non-infection au Covid, ce qui va à l'encontre de toutes les études sur le sujet, mais aussi des recommandations des hautes autorités.

Ce qui est intéressant, c'est qu'il y a peu de temps

encore, les médecins nous faisaient tirer la langue, pour regarder langue et salive. Aujourd'hui encore en Asie, c'est la première chose que font les médecins pour en déduire l'état de santé de leur patient. Une manière de « lire » la langue et ce dans quoi elle baigne, donc la salive. Épaisseur, odeur, aptitude à détecter les goûts sont autant d'indicateurs de l'état global de notre santé. Cette pratique ancestrale, datant de bien avant le XVe siècle dans le cas de la médecine chinoise, a été confirmée par nos études récentes de biologie moléculaire. L'ARN salivaire permet un diagnostic précis et non invasif. Voilà qui en fait à mes yeux une autre raison de trouver cette molécule géniale.

Si je vous ai parlé de la salive, c'est parce qu'elle est toujours accessible. Cependant, l'ARN peut être étudié dans tous les fluides : urines, sperme, lait maternel, sueur et larmes. En cancérologie, ces propriétés ouvrent de nouveaux moyens d'exploration diagnostique. Jusqu'à présent, l'étalon-or pour documenter un cancer reste classiquement la biopsie tissulaire, c'est-à-dire un prélèvement chirurgical d'un tout petit bout d'organe. Mais l'extraction tissulaire est difficile. Grâce à la possibilité de détecter l'ARN dans les fluides, les biopsies liquides offrent une alternative pratique et fiable. Elles évitent également les complications qui peuvent survenir après les prélèvements, telles que les infections, la douleur et les saignements. À ce jour, leur utilisation reste encore limitée, ce qui est dommage...

Dernier exemple qui finira de vous convaincre. Jusqu'ici, pour suivre un cancer de la prostate, les patients devaient aller à l'hôpital régulièrement. On leur faisait un toucher rectal afin de récupérer leurs urines. Cependant, des chercheurs ont récemment proposé d'alléger ce protocole par un suivi à domicile : les patients récupèrent leurs urines, et les envoient au laboratoire pour en étudier l'ARN. On s'est alors rendu compte que le diagnostic, qu'il se fasse à l'hôpital ou à la maison, est comparable[6]. Donc le côté invasif n'est pas obligatoire. Au-delà du cancer de la prostate, un tel suivi peut donc être envisagé pour d'autres tumeurs malignes de la vessie et du rein, mais aussi pour suivre les infections urinaires.

L'ARN est le maître de l'épigénétique

Si l'ADN nous construit très largement, on sait aujourd'hui qu'il n'est pas seul aux manettes. On a fini par comprendre que l'hérédité n'était pas uniquement liée à lui, mais aussi à l'ARN... et que ce dernier peut tout faire changer. Les jumeaux en font l'expérience. Bien qu'ils partagent le même ADN, quand l'un des deux déclenche une maladie, il n'en va pas forcément de même pour l'autre. Pourquoi ? La réponse est dans l'interaction des gènes avec l'environnement. Interaction que les scientifiques appellent « épigénétique ».

Cet environnement, c'est tout ce qui nous entoure. Tout ce que nous vivons se traduit par une information épigénétique. In utero déjà, les expériences de notre mère, ce qu'elle mange, les éventuels médicaments qu'elle prend, changent notre épigénétique. La manière dont elle accouche aussi. Qu'on soit élevé avec un animal de compagnie, touché par des maladies, que l'on soit sédentaire ou que l'on fasse du sport, tout, absolument tout modifie notre épigénétique et donc influe sur notre santé comme sur notre risque de maladie.

L'ARN est le vieux sage, le Maître Yoda de l'épigénétique. La pratique du yoga et celle de la méditation exercent une influence directe sur la santé, en modifiant certains ARN spécifiques dans les cellules du sang comme dans le cerveau[7]. Mais en voici une autre preuve : quand un bébé fille naît, elle récupère un chromosome X de sa mère et un chromosome X de son père. Un ARN long, nommé Xist, va alors recouvrir l'un des deux chromosomes, sans que l'on sache à l'avance lequel, et le rendre inactif. Oui, vous avez bien lu, cet ARN est capable d'inactiver tout un chromosome, de le rendre comme invisible ! C'est cela, l'épigénétique : un pouvoir de réagir et de s'adapter à tout ce qui nous entoure. Génial, non ?

Étudier l'ARN peut également se révéler passionnant d'un point de vue psychique et émotionnel. Chacun sait en effet qu'un événement traumatisant peut laisser des blessures psychologiques. Or, nous savons depuis peu que cette promesse de mémoire ne concerne pas que notre psyché, mais aussi notre physiologie, notre corps. Et pour cela, c'est encore et toujours l'ARN qui entre en jeu. Prenons un exemple.

Novembre 1944, Amsterdam.

En riposte contre les Alliés, l'administration allemande organise un embargo sur le transport des denrées alimentaires aux Pays-Bas[8]. Les rations de nourriture chutent à moins d'un quart de ce que nous mangeons et buvons en temps normal.

De nombreux chercheurs vont s'intéresser à cet épisode de famine. Une première équipe en 1995 observe ainsi des différences de poids des bébés nés pendant cette période[9]. Certains sont gros et d'autres chétifs selon que la carence a eu lieu précocement ou tardivement pendant la grossesse.

Dans les années 2000, un autre groupe de chercheurs remarque que tous les adultes nés de mères ayant souffert de cet épisode de famine ont eu une santé fragile à l'âge adulte[10]. Si les carences étaient survenues au cours du premier trimestre de grossesse, les adultes souffraient d'obésité et de maladies cardiovasculaires. Si les carences étaient survenues au deuxième trimestre, ils souffraient de maladies respiratoires. Et si le manque était au troisième trimestre, les adultes avaient un problème de tolérance au glucose. Pourquoi tant de différences ? À cause des modifications épigénétiques. Un même événement ne se déroulant pas au même moment ne donne pas les mêmes résultats. Son impact sur le développement est complètement différent.

Ces études marquent un véritable tournant, car elles démontrent que chez l'homme, en plus de l'hérédité psychologique, il existe une hérédité physiologique. Une mémoire du manque de nourriture dans ce cas, qui passe de la mère à l'enfant, et qui aura un retentissement sur lui tout au long de sa vie, même si celui-ci mange à sa faim en grandissant. Cela, on l'ignorait avant 1995. Par cette observation, nous apprenons donc que l'hérédité physiologique passe du parent à l'enfant, et que c'est la descendance directe qui est touchée. C'est ce que l'on appelle l'« hérédité intergénérationnelle ».

À la suite de ces travaux, de très nombreuses autres études se sont succédé. Et l'on a découvert que l'on pouvait hériter de ses parents, mais aussi de ses grands-parents, voire d'ascendants encore plus éloignés. Il peut aussi y avoir des sauts de générations. On l'appelle alors l'« hérédité transgénérationnelle ».

Cette mémoire physiologique, qui repose tout entière sur l'épigénétique, n'est pas de notre fait. Nous ne voulons pas nous souvenir, mais nous nous souvenons. Prenons l'exemple des survivants de la Shoah. Les enfants connaissant l'histoire de leurs parents sont marqués dans leur épigénétique par le traumatisme que ces derniers ont vécu. Mais, et c'est là que c'est impressionnant, ceux qui ignorent ce que leurs parents ont enduré sont aussi marqués. Et il en va de même pour toutes les générations à venir. On peut imaginer que leur épigénétique leur dictera d'être méfiants, prudents, craintifs, attentifs à la société ou obsédés par la mort par exemple, pour, inconsciemment, être toujours prêts au pire.

Parlons à présent d'une autre forme d'hérédité, qui, celle-là, nous concerne tous. Depuis 2004 (et 2004 seulement), nous savons que la mère n'est pas seule responsable de l'hérédité épigénétique, mais le père aussi[11]. En effet, ce qu'il mange, tout comme son environnement, aura un impact sur la santé de sa descendance, notamment en ce qui concerne la santé mentale, des maladies cardiovasculaires, des cancers, des désordres du pancréas, de l'obésité et même des altérations du sperme.

Des études en 2019 prouvent que l'ARN du sperme du père programme l'état de santé de sa progéniture[12]. Des souris mâles sont infectées par un parasite, celui de la toxoplasmose. On observe un changement du comportement sexuel des petits mâles : ils ont une vigueur sexuelle réduite. Quant à leur sperme, les petits ARN sont modifiés. Mais les chercheurs vont encore plus loin. Ils récupèrent ces petits ARN différents, les injectent dans des embryons de souris et observent à nouveau un problème de comportement des mâles. Cela veut dire que la rencontre avec un parasite modifie l'ARN du sperme, et que cet ARN modifié est capable de changer le comportement des générations suivantes. Quand je vous dis que l'ARN est très puissant !

Chez l'homme, cela prend hélas beaucoup plus de temps pour étudier la transmission sur plusieurs générations (les hommes vivant trop longtemps par rapport aux chercheurs vieillissants), mais chez les vers, qui ont de courtes existences, on s'est rendu compte que cette transmission peut concerner jusqu'à quatorze générations.

L'ARN est un langage commun entre les espèces

L'ARN permet de produire pile le nombre de protéines dont notre corps a besoin. Quand nous avons trop de protéines, il va en détruire. Quand nous n'en avons pas assez, il va en fabriquer, et il est le seul à savoir faire cela avec une telle adaptabilité.

Ce mécanisme s'appelle l'« interférence par ARN ». On l'a découvert dans les années 1990, grâce à une fleur de pétunia aux couleurs roses et blanches[13]. Pourquoi rose et blanc à la fois ? Comment se fait-il qu'au sein d'une même fleur, où toutes les cellules partagent le même ADN, et donc les mêmes ARN, certains pétales soient rose fuchsia, d'autres blancs, et d'autres enfin rose et blanc à la fois ? C'est là qu'intervient un tout petit ARN, qui est présent dans certaines cellules, donc dans certaines parties d'un pétale par exemple. Le petit ARN va venir cibler l'ARN, celui qui fait du pigment rose, et interférer avec lui, au point d'en produire moins, ou plus du tout. Cette rencontre des deux brins d'ARN permet l'extinction de tout l'ARN qui produisait le pigment rose, laissant place au blanc.

Des chercheurs ont alors essayé de reproduire ce

mécanisme d'interférence sur un animal, en injectant un petit ARN dans un ver. Même processus qu'avec la fleur ! Le ver n'est pas devenu rose et blanc, mais le petit ARN est venu cibler l'ARN, interférer avec lui, et l'a éteint, réduit au silence. En langage scientifique, on parle même de silençage.

Le mécanisme d'interférence par ARN est donc très puissant, capable d'éteindre tous les ARN d'une famille ciblée présents dans une cellule. Mais la recherche ne s'arrête pas là. On a ensuite découvert que ce mécanisme est commun aux végétaux, aux animaux et aux humains. Il peut être déclenché artificiellement, par le biais d'une injection par exemple, ou exister naturellement comme dans le cas du pétunia. Mécanisme qui est aussi commun aux virus. Il suffit d'un petit bout d'ARN qu'on sait complémentaire avec l'ARN qu'on veut cibler, et tout le devenir de cet ARN peut être effacé d'une cellule ou d'un organisme.

Cependant, chez le virus, la découverte ira encore un stade plus loin. Quand il infecte une cellule, le virus est capable d'utiliser ses petits ARN pour faire de l'interférence par ARN, mais il est aussi capable de détourner des ARN qui ne sont pourtant pas à lui, avec pour résultat de favoriser l'infection. C'est, en tout cas, ce que fait le virus de l'hépatite C, qui affecte le foie. Il va détourner un petit ARN humain, le mir-122, pour interférer avec son propre génome viral, et ainsi favoriser l'infection[14].

Si je vous ai d'abord parlé du pétunia, puis du ver, et enfin de l'homme avec l'hépatite, c'est parce que je suis chaque fois fascinée par la simplicité de ce mécanisme universel. Tellement universel que tous les médicaments à base d'ARN, qui ont été développés chez l'homme, reposent sur lui. Assurément génial, non ?

L'ARN est un traitement

Les maladies sont souvent dues à une protéine qui s'accumule anormalement, créant un déséquilibre. Pendant très longtemps, nous ne savions pas comment transformer l'ARN en médicament, et nous ne connaissions pas non plus l'interférence par ARN. La combinaison des deux a donc ouvert un champ d'applications pour développer des solutions novatrices à des maladies variées.

Un médicament ARN est unique par rapport aux autres médicaments, parce qu'il est chaque fois un véritable sniper. Il tire dans le mille. Modifier le messager avec une telle précision est tout simplement révolutionnaire. Jamais nous n'avions eu avant de médicament capable de cela. Ce savoir, encore une fois récent, nous permet légitimement d'espérer que l'ARN soit ce qu'il y a de plus prometteur, la boîte à outils la plus perfectionnée pour soigner toute maladie, et notamment les maladies génétiques.

Nous avons actuellement douze utilisations de ces petites molécules d'ARN pour soigner différentes maladies, douze médicaments développés que je vais vous citer. Inutile de tout retenir, cette liste a simplement pour but de vous dresser un état des lieux de tous les médicaments à base d'ARN qui ont été développés avant les vaccins Covid, et de vous permettre de constater la diversité des maladies qu'ils peuvent cibler.

Le **Fomivirsen** : ce médicament a pour mission de retarder la progression d'une rétinite (atteinte de la rétine qui peut rendre aveugle). Injecté dans l'œil, l'ARN-médicament va s'accoler à l'ARN du virus pour l'éteindre.

Le **Pegaptanib**, lui, interfère avec les troubles vasculaires de l'œil. Encore une fois injecté dans l'œil, l'ARN artificiel agit là comme un anticorps. Il inhibe la formation de vaisseaux, sachant que cette maladie est due à un ou plusieurs vaisseaux qui obstruent la vision au point de donner l'impression au patient d'avoir une tache dans l'œil, ce qu'on appelle la DMLA (dégénérescence maculaire liée à l'âge).

Le **Mipomersen et l'Inclisiran** sont deux ARN-médicaments beaucoup plus récents qui ciblent le cholestérol pour le réguler lorsque le corps en contient trop. On les injecte sous la peau. Ils visent l'ARN d'un transporteur du mauvais cholestérol. Son prix est exorbitant. Pas moins de 10 000 dollars par an pour traiter un patient !

Le **Nusinersen**, lui, sert à stopper une amyotrophie spinale (de l'épine dorsale). Cette maladie est une atrophie musculaire grave. Pour donner une image approximative, disons que le corps du patient atteint est en chewing-gum, ne se tient pas si vous préférez. L'ARN arrête la progression de la maladie, améliore même parfois la fonction motrice, et peut par exemple permettre de se maintenir debout de nouveau. Mais ce traitement a un prix, puisque c'est le médicament le plus cher du monde : 85 000 euros le flacon, et il faut plus d'un flacon pour tenter d'enrayer le mal…

Le **Patisiran**, l'**Inotersen** ou le **Vutrisiran** : trois noms pour trois médicaments ARN qui soignent la même maladie : l'amyloïdose héréditaire à transthyrétine avec polyneuropathie. Une maladie génétique progressive et potentiellement fatale, qui dépose de l'amylose sur les nerfs. L'amylose, c'est comme du sucre qui s'entasse sur les nerfs et altère les sens, la motricité et le système nerveux. Mais parfois, le patient peut avoir des manifestations aux yeux, aux reins, au cœur. L'ARN va comme d'habitude freiner la progression de la maladie. Notons qu'il n'existe actuellement pas d'autres traitements.

Le **Givosiran** est programmé pour réagir contre les crises neuro-viscérales. Ce sont des spasmes au niveau de l'abdomen, accompagnés de douleurs irradiantes très fortes. Pour vous donner une idée de l'intensité de la souffrance, sachez qu'elle est si aiguë qu'elle provoque des nausées et vomissements pouvant aller jusqu'à des convulsions, mais aussi des troubles psychiatriques. L'ARN va alors venir sur le gène déficient muté pour pouvoir pallier la mutation génétique. Il permet là aussi de freiner la maladie.

Le **Lumasiran** soigne, ou du moins ralentit, une maladie génétique héréditaire fatale qui touche le foie. Elle se traduit par une surproduction d'oxalate par le foie qui, dans le cas de cette affection, va s'accumuler dans les reins jusqu'à les abîmer de manière irréversible et aboutir à une insuffisance rénale. Comme l'oxalate ne peut plus sortir des reins, il se dépose sur d'autres organes, notamment la peau, les yeux, les os et le cœur. Ce médicament ARN est ce que l'on appelle le traitement de première intention, celui que l'on essaie avant tout autre, quel que soit l'âge du patient. Nous n'avons rien de mieux.

Le **Casimersen**, l'**Eteplirsen**, le **Viltolarsen** et

le **Golodirsen** : ces médicaments ARN sont utilisés contre la myopathie de Duchenne, qui est une dégénérescence de l'ensemble des muscles de l'organisme, dont le muscle cardiaque et respiratoire et les muscles.

Le **Fitusiran**, lui, est donné pour le traitement de patients atteints d'hémophilie A ou B. L'hémophilie est une impossibilité pour le sang de coaguler : en cas de saignement, l'écoulement ne peut pas s'arrêter ou très difficilement. L'ARN interférant va favoriser la coagulation. Ce médicament réduit les saignements de 61 % selon Sanofi (son développeur), ce que l'on peut considérer comme un bon résultat.

Le **Volanesorsen** est indiqué dans la prise en charge du syndrome d'hyperchylomicronémie familiale (SHCF). Cette maladie génétique est associée à un risque élevé d'inflammation du pancréas.

L'ARN, un futur coach ?

Pour parler de l'ARN, on peut utiliser le mot « chef », « maître », ou même « roi du monde » tant il est fascinant. On pourrait croire qu'il a autorité sur tout le corps, que c'est lui qui décide. Pourtant, si l'on veut être rigoureux, l'ARN serait plutôt le moteur de la vie. Un moteur précis, stable et à la fois hyper-réactif, mais qui a besoin d'être stimulé par autre chose pour tourner et n'agit pas de lui-même. Cela n'enlève rien à son côté génial. Mais cela permet d'insister sur l'importance de l'environnement et la diversité de ses stimuli, qui, comme on l'a vu, sont chaque fois l'élément déclencheur. Si l'on considère la vie comme une musique, alors l'ARN en est à la fois le chef d'orchestre, l'orchestrateur (celui qui écrit les orchestrations), le musicien, et le spectateur qui réagit à chaque nouvelle information.

Cette ingéniosité de l'ARN nous permet de prendre conscience que toutes nos décisions dans notre vie, que ce soit notre alimentation ou les traitements que nous prenons, toutes sont prises en compte par notre ARN et ont donc un effet sur notre santé. Ce livre est par conséquent aussi une invitation à nous prendre en main, puisque nos choix de vie vont influencer notre santé comme celle de notre entourage, et a fortiori les générations à venir.

J'ai souhaité illustrer cette autre facette pleine de surprises de l'ARN par trois exemples.

Premièrement, ce que nous consommons se traduit par des combinaisons très précises et reproductibles de quelques ARN. La précision en est si remarquable qu'en récupérant un peu de sang, nous pouvons suivre ce que vous avez consommé. Vous êtes une personne âgée et vous avez mangé des noix pour vous protéger de maladies cardiovasculaires ? On en trouve la signature par la présence de deux microARN spécifiques dans votre circulation. Vous êtes non-fumeur ? Vous avez la combinaison gagnante des six microARN que n'ont pas les fumeurs. Vous avez fait une surconsommation de paracétamol ? Votre microARN du foie miR122, qui d'habitude reste précisément dans votre foie, se retrouve 470 fois augmenté dans votre circulation… Les exemples de la réactivité de notre propre ARN à l'environnement, et surtout de son adaptabilité et de sa capacité à rendre chaque réponse unique, ne manquent pas[15].

Deuxièmement, l'ARN de ce que nous mangeons peut influencer notre santé génétiquement. En effet, des études ont montré que lorsque nous mangions ou buvions des plantes (fruits, légumes, tisanes), certains de leurs microARN pouvaient survivre à l'étape de la digestion, passer dans notre circulation et réguler nos propres ARN aussi bien dans notre foie, nos poumons, notre rate, notre pancréas que dans nos cellules immunitaires.

Sur ce point les chercheurs ne sont pas tous d'accord. Certains y voient une contamination des plantes sur notre organisme. Pourtant, une analyse rigoureuse sur plus de 400 échantillons montre que cette prétendue contamination est retrouvée dans 90 % des fluides d'humain, de vache et de souris, et une fois sur deux, on la trouve dans les tissus humains[16]. Preuve que ce n'est pas une contamination ponctuelle, mais bien une situation reproductible.

Parmi les études sur les microARN de plantes, l'une d'entre elles, qui concerne le chèvrefeuille, nous intéresse plus particulièrement. Ses propriétés antivirales sont connues depuis des millénaires en médecine chinoise. Or, boire de la tisane de chèvrefeuille nous fait ingérer un microARN, le miR2911. On a pu comprendre que ce microARN était capable de reconnaître l'ARN de différentes grippes, notamment H1N1, et empêcher que l'on soit infecté. Mais cette tisane et son microARN semblent aussi protéger contre le SARS-CoV-2. En tout cas, les chercheurs ont identifié tellement d'endroits où le microARN de chèvrefeuille était capable de s'accoler à l'ARN du SARS-CoV2 que cela le rendait théoriquement susceptible d'éteindre toutes les protéines de ce virus, y compris la protéine spike, qui est celle produite par l'ARNm des vaccins. En théorie au moins.

Et en pratique ? Que ce soit par l'administration du miR2911 ou par la tisane de chèvrefeuille, la multiplication du virus est freinée, et la guérison des patients Covid-19 est accélérée[17].

L'ARN est donc suffisamment génial pour nous permettre de suivre précisément l'effet de notre alimentation sur notre santé.

Troisièmement, « nous sommes ce que nous mangeons », nous expliquait Ludwig Feuerbach, philosophe du XIXe siècle. Mais nous avait-on précisé que « nos descendants seront aussi ce que nous avons mangé » ? Les femmes surveillent généralement, presque intuitivement, ce qui entre dans leur corps quand elles sont enceintes. Mais ont-elles conscience qu'il faudrait faire attention à ce qu'elles mangent y compris en dehors des neuf mois de grossesse ?

Et quel homme pense, au moins dans les deux mois et demi avant d'essayer de procréer, que ce qu'il mange va influencer la santé de ses spermatozoïdes et celle de sa descendance ? Aucun ! Car nous avons cette information depuis peu. Et qu'elle se diffuse à peine, voire pas du tout. C'est pourtant un enjeu de santé publique que d'alerter les hommes (et les femmes) et de les responsabiliser sur leur alimentation, et donc ce qu'ils mettent dans leur corps. C'est suffisamment important pour qu'une société scientifique internationale, dont je fais partie, se soit consacrée à l'étude des origines développementales de la santé et des maladies.

L'âge de procréer chez l'homme, les expositions environnementales aux perturbateurs endocriniens (comme les pesticides et les métaux lourds), les facteurs liés au mode de vie (comme le tabac, l'alcool ou l'exercice) et l'obésité, avec des maladies associées comme le diabète, sont autant de facteurs de risque d'un sperme de mauvaise qualité. Il est intéressant de remarquer que bon nombre des populations fréquemment étudiées pour la baisse de qualité de leur sperme sont également connues pour l'augmentation récente de leur obésité.

Le sperme humain est extrêmement sensible aux changements alimentaires. Selon le régime, les spermatozoïdes ne seront pas les mêmes. Le répertoire des petits ARN dans le sperme humain, ainsi que la mobilité des spermatozoïdes, montrent une réponse rapide et extrêmement spécifique à ces changements alimentaires[18]. Cet impact est suffisamment fort pour qu'il concerne à la fois les ARN du noyau (notre coffre-fort), mais aussi celui des mitochondries (nos centrales énergétiques).

Comme pour toute étude chez l'homme, il est intéressant de la relier à ce que l'on sait chez l'animal. Or chez la mouche, la réactivité est surprenante. Deux jours seulement d'intervention alimentaire chez le mâle avant l'accouplement sont suffisants pour transmettre un signal à travers le sperme qui rend obèse la génération suivante[19] !

Explorer ces voies est non seulement essentiel pour comprendre le déclin global de la fonction du sperme humain, mais aussi pour fournir une explication aux rapides changements métaboliques intergénérationnels.

4

L'ARN messager, molécule aux multiples inconnues

Vous ne trouverez son nom nulle part ; aucune rue, aucune école, aucun centre de recherche, n'a été baptisé d'après lui. Il convient pourtant de rendre justice à la toute première personne qui a expliqué avec une simplicité déconcertante « le rôle possible des deux acides nucléiques dans la cellule vivante », à savoir l'ARN et l'ADN. Il s'agit du chercheur français André Boivin qui, avec son étudiant Roger Vendrely, déclare en 1947 que l'ADN produit l'ARN, qui à son tour conduit à la synthèse de protéines.

Mais avec près de quinze ans d'avance, sa découverte trop simple, trop bien énoncée tombera dans l'oubli, parce que la communauté scientifique n'est tout simplement pas prête. Il faut attendre 1961 pour qu'elle le soit. Neuf chercheurs, dans deux articles publiés dans la revue anglaise *Nature*, annoncent la découverte de l'ARN messager. Le même mois, François Jacob, qui faisait partie de l'équipe des neuf, et Jacques Monod, autre scientifique, donnent le mécanisme de l'ARN messager.

Mais au fait, c'est quoi un ARN messager ?

C'est un ARN qui est à la fois le « message » et son « messager ». Je vais utiliser un exemple très imagé pour dévoiler son côté prodigieux. Prenons une plante. Dans notre image, c'est l'ADN. À partir de cette plante, on va créer une deuxième plante, qui est de la même famille, mais qui n'est pas son double (c'est l'ARN qu'on vient de créer). À partir de cette deuxième plante, on va produire de la viande, oui, de la viande ! Ce sont les protéines. De la même manière, dans nos cellules, la création de la deuxième plante correspond à la réécriture de l'ADN en ARN et notamment en ARNm. On appelle cela la « transcription ». Puis, pour passer de la deuxième plante à la production de viande, on utilise un code qui fait passer de l'ARN messager à la protéine. On parle de « traduction », tellement ce langage est différent.

Aujourd'hui, l'ARN messager nous est présenté comme le graal contre toute maladie, celui que l'on maîtrise parfaitement puisqu'on le connaît depuis les années 1960. Cependant, force est de constater qu'après l'avoir découvert, on l'a laissé de côté.

Tout comme il n'a jamais décroché le moindre prix Nobel. À titre comparatif, l'interférence par ARN, qui a été découverte beaucoup plus tardivement, a pour sa part reçu un prix Nobel en 2006. Mais elle a surtout permis en un temps record l'arrivée sur le marché des tout premiers médicaments-ARN, que je vous ai présentés dans le deuxième chapitre.

Alors pourquoi avoir pris tant de retard avec l'ARNm ? Parce que l'ARN messager est une molécule centrale, mais avec de multiples inconnues.

La vie de nos cellules est ponctuée de grandes étapes, qui sont comme de petits « big bang ». En vérité, il y a énormément de bouleversements et quasiment en continu, et à chacune de ces transitions, la cellule met en œuvre un vaste programme. Pour cela, elle efface des ARN et en garde d'autres. Surtout, elle réécrit par la transcription 60 %, soit plus de la moitié de l'ADN, sous forme d'ARN. Mais seulement 1,2 % de cet ADN va lui servir à fabriquer son lot d'ARNm. Et cette infime partie du génome correspond à 30 000 ARN messagers. C'est là que les choses se compliquent.

Tout juste créés, les ARNm entrent dans une phase dite de « maturation ». Cette phase, c'est un peu comme si vous donniez à un couturier un bout de tissu. Il est capable d'en faire un short, une chemise, un pantalon, un mouchoir, une veste, un manteau, un torchon, etc., en fonction de ses besoins. Dans le rôle du couturier, nous avons la cellule. Et à la place des habits, les différents ARNm. Comme la cellule ne sait pas coudre, elle passe par des phases de maturation qui s'appellent l'« initiation », l'« épissage » et la « polyadénylation ». Elle les utilise de manière alternative. Alternance qui permet à nos 30 000 ARNm (les bouts de tissu) de se multiplier et de devenir 180 000 ARNm distincts les uns des autres (les habits).

Mais ce n'est toujours pas terminé, car vient s'ajouter à ces habits la possibilité de faire des designs différents, par exemple par des ajouts (broderies ou autres). Ce vaste catalogue de 180 000 ARNm va donc encore subir des modifications au niveau des lettres qui les composent. Ce sont les modifications épigénétiques dont vous connaissez l'impact sur notre santé.

Ainsi maturés, les ARNm peuvent enfin sortir du noyau avec trois devenirs possibles : le stockage, la dégradation ou la traduction en protéines. Et ce, selon les besoins du moment. De derniers ajouts rendent l'ARNm stable, et lui donnent l'adresse de sa destination finale. Là encore, c'est d'une complexité incroyable, compte tenu de l'énorme quantité de molécules à distribuer de façon concertée, en permanence, toujours en fonction des besoins.

L'ARNm, un millefeuille d'informations

La complexité de l'ARNm va beaucoup plus loin que ce à quoi vous vous attendiez, n'est-ce pas ? Ce serait trop simple de s'imaginer qu'il ne comporte qu'un seul message ! Pour vous donner une nouvelle image : la phrase (l'ARNm) n'est rien sans le lecteur (la cellule). La cellule va donc décider à partir de chaque phrase d'utiliser telle ou telle combinaison, encore et toujours en fonction de ses besoins.

Pour mieux comprendre, prenons, en guise d'ARNm, une phrase complète : « Ce matin je mange du gâteau au chocolat. » Elle comporte un seul message, qui pourtant peut servir à construire d'autres messages de même nature, comme « Je mange », « Ce matin je mange », « Je mange du gâteau », « Je mange du chocolat ». Mais elle peut aussi donner des messages qui ne sont pas de même nature, en s'adressant à quelqu'un d'autre et en lui donnant un ordre comme « Mange », « Mange du gâteau » ou « Mange du chocolat », et elle peut même utiliser l'exclamation : « Du chocolat ! », etc.

Ajoutons à cette complexité que même les silences entre les mots donnent une information : imaginez ce livre sans espace entre les mots ! En clair, la cellule s'autorise toutes les combinaisons possibles à partir de l'ARNm, qui, lui, est passif.

Un peu comme pour cette phrase, la partie du message d'un ARNm est faite d'une majuscule (qui marque le début), de mots (les exons), qui instruisent la manière de produire la protéine, alternés par des silences (les introns) et d'un point final (qui marque la fin). Or, comme dans notre exemple, avec cette phrase minimale, on peut fabriquer de multiples produits différents aux rôles variables.

Dans les silences, on peut même retrouver des microARN, et des longs ARN. Certains de ces longs ARN peuvent aussi agir comme des enzymes (on parle alors de ribozymes). Parfois, la cellule reconnaît même des majuscules, là où nous, chercheurs, ne les attendions pas ! Et quand la majuscule change d'endroit, ce sont des messages très différents qui peuvent être produits.

Il y a une dernière chose à savoir sur ce millefeuille d'informations. Si on est resté longtemps sur l'idée qu'un ARNm fait juste UNE protéine, on a compris que ce que l'on croyait était faux. Un ARNm peut produire plusieurs protéines, avec des tailles et des rôles très différents, comme dans un jeu de poupées russes. Il peut par exemple bâtir de toutes petites protéines, qu'on appelle les « micropeptides ». Et ces protéines, on l'a découvert très récemment, peuvent notamment réparer l'ADN, ce qui est formidable, mais aussi réactiver le virus, ce qui l'est beaucoup moins.

En résumé, avec l'ARN messager, tout, absolument tout peut arriver. Comme un feu d'artifice non maîtrisé et pas toujours prévisible.

Depuis combien de temps utilise-t-on l'ARN messager pour prévenir ou soigner une maladie ?

Après la découverte de l'ARNm dans les années 1960, il faudra attendre trente ans pour que des chercheurs envisagent d'injecter de l'ARNm chez l'homme. Puis dix ans de plus pour que l'on fasse les premiers essais cliniques avec cet ARNm. Ces essais vont durer encore vingt ans, sans qu'aucun aboutisse à une autorisation de mise sur le marché.

C'est le chercheur Robert Malone, en 1989, qui va, le tout premier, injecter de l'ARNm dans des œufs de crapaud pour réussir à produire la protéine voulue.

L'année d'après, une équipe parvient à reproduire l'expérience, mais cette fois-ci en injectant l'ARNm directement dans un muscle de souris. La simplicité de cette technique suscite l'espoir de pouvoir un jour soigner des maladies, et fait germer l'idée d'utiliser l'injection d'ARNm pour remplacer la vaccination classique.

Deux ans plus tard, des chercheurs démontrent l'efficacité de l'ARN messager pour traiter des rats diabétiques, incapables de produire une protéine à cause d'une mutation génétique. L'ARNm de cette protéine est alors injecté à l'intérieur de leur cerveau. Cette étude démontre qu'on peut corriger la mutation, mais sur une durée de cinq jours seulement.

Moins d'une décennie plus tard, on fait les premiers essais chez l'homme, à la recherche d'un vaccin à ARNm qui prévient ou qui soigne.

En 2000, on veut soigner le cancer de la prostate avec un vaccin à ARNm.

Nous sommes là sur le tout premier essai de vaccin à ARN messager[1]. On prélève dans le sang des patients des cellules que l'on peut considérer comme les chefs d'orchestre du système immunitaire, les cellules dendritiques. On les modifie génétiquement en y introduisant de l'ARNm, puis on les réinjecte dans leur corps.

Sont choisis des hommes atteints d'un cancer de la prostate avec métastases et en échec de traitement. Treize patients reçoivent l'injection. Six seront exclus à cause de métastases qui ont émergé ou progressé. Quatre patients seront retirés de l'étude car ils ont déclenché des symptômes graves liés à la vaccination.

Résultat : trois réussites seulement. Pour soigner le cancer de la prostate, cette première tentative de vaccin à ARNm n'a pas fait ses preuves.

En 2014, on réessaie de soigner le cancer de la prostate, mais cette fois-ci avec un autre ARNm, le CV9104[2]. Verdict : « Le CV9104 n'a pas atteint le critère principal d'amélioration de la survie globale », annonce le laboratoire CureVac, promoteur de l'étude. Le cofondateur, Ingmar Hoerr, ajoute : « Ce vaccin thérapeutique ne parvient pas à induire un bénéfice de survie en monothérapie chez les patients atteints d'un cancer de la prostate. »

En clair : après une quinzaine d'années de recherches pour soigner le cancer de la prostate, l'utilisation de l'ARNm est un échec.

En 2005, on veut soigner un cancer de la peau avec un vaccin à ARNm

Les chercheurs lancent un essai sur un cancer de la peau avec métastases, qu'on appelle « mélanome métastatique[3] ». Quinze patients sont traités avec un médicament ainsi qu'avec un cocktail de six ARNm.

Quinze autres reçoivent un médicament ainsi que des ARNm, mais cette fois personnalisés.

Résultat : « L'analyse des réponses induites en cellules T ne montre pas de cohérence entre les différents patients. » Et là, ce ne sont pas les auteurs de l'étude qui le disent, mais une revue, qui précise aussi que « les résultats de l'étude ont montré de très faibles performances dans le groupe auquel on a administré l'ARN[4] ».

En clair : même personnalisé, le vaccin ne fonctionne pas pour soigner ce cancer de la peau.

Il y a eu bien d'autres essais depuis pour voir si le vaccin à ARNm pouvait soigner le cancer de la peau. Je laisse donc la conclusion aux deux revues qui ont compilé l'ensemble des études réalisées entre 2005 et 2020 : « Avant que l'on puisse utiliser les vaccins ARNm dans le traitement du cancer, une information globale à leur sujet est nécessaire et il faut conduire un grand nombre d'essais », dit l'une des études. Et l'autre de conclure : « Cette revue recueille les leçons des précédents essais infructueux. »

Pendant quinze ans, on a donc cherché à soigner le cancer de la peau avec un vaccin à ARNm, et en 2020, c'est encore un échec.

En 2009, on veut soigner le cancer du poumon avec un vaccin à ARNm

C'est précisément un cancer du poumon très agressif qui s'appelle « non à petites cellules », une appellation étonnante. Pour cela, on développe des vaccins à ARNm de plus en plus sophistiqués. Le CV9201 est un cocktail de cinq ARNm différents, qu'on administre à cinq reprises.

Ce vaccin fait l'objet de deux publications. Je cite les auteurs : « Le traitement par [...] CV9201 [...] chez les patients atteints de NSCLC (non à petites cellules, en anglais) était sûr et bien toléré, et des réponses immunitaires contre les cinq antigènes codés ont été rapportées[5]. » Autrement dit, la technique fonctionne : le corps a su lire les cinq ARNm qu'on lui a administrés, et fabriquer les cinq protéines attendues.

Les auteurs précisent : « Les résultats soutiennent une enquête plus approfondie sur l'immunothérapie à base d'ARNm. » En effet, cela peut être utile, parce que dans le seul groupe de patients qui n'a reçu que le CV9201, six sur huit sont morts. Un seul était apte à continuer, mais le traitement a été interrompu par décision de l'investigateur.

En clair : cette publication arrive en 2019, soit

au terme de dix années de recherches, et démontre que le vaccin à ARNm ne permet pas de soigner ce cancer du poumon.

En 2009, on veut soigner le VIH avec un vaccin à ARNm

Là, comme pour les cancers, on utilise les cellules dendritiques, qui sont, souvenez-vous, les chefs d'orchestre du système immunitaire. On les modifie génétiquement par l'ARNm avant de les réinjecter. Voici maintenant ce que dit l'étude : « La vaccination des cellules dendritiques doit être optimisée pour susciter des réponses immunitaires plus fortes et durables pour que cette stratégie soit efficace en tant que vaccin thérapeutique contre le VIH-1[6]. »

En clair : l'ARN messager fait son petit effet, mais ne tient pas dans le temps. Il y a eu six essais depuis, mais force est de constater que l'ARNm ne soigne pas le sida.

En 2016, une autre équipe rapporte aussi des résultats décevants d'un nouvel essai clinique sur le sida. L'étude annonce : « Les résultats des études précédentes et de notre essai actuel suggèrent que de nouvelles approches sont nécessaires pour développer des vaccins plus immunogènes[7]. »

L'ARNm ne soigne toujours pas le sida en 2016.

Fin 2019, nouvel essai de vaccin à ARNm, toujours contre le sida. Citation de l'étude : « Nous n'avons pas été en mesurer de démontrer les effets du vaccin[8]. » Puis ils ajoutent : « Malheureusement, après la fin de cet essai clinique, une erreur de codage a été découverte. »

Conclusion : le vaccin à ARNm est un échec pour soigner le sida. Et nous en sommes là, en décembre 2019, à moins d'un an d'une vaccination massive de l'humanité avec le fameux ARNm contre le Covid...

En 2013, on veut soigner la rage avec un vaccin à ARNm

Citons ce commentaire de la revue *Lancet*, en 2017, sur ces essais : « Espérons que cette innovation ne suivra pas la voie des vaccins à ADN, qui n'ont pas rempli la promesse vue dans les expérimentations animales et n'ont pas été efficaces chez l'homme[9]. »

En clair : le vaccin contre la rage ne marche pas assez bien pour être utilisé.

Ils testent alors un autre ARNm ainsi qu'une autre méthode. Le nouvel ARNm s'appelle le CV7202 et la méthode est de le mettre dans une petite capsule, disons une petite soucoupe flottante qui va lui permettre de rentrer dans toutes les cellules de manière quasi inaperçue.

La publication prend des allures de catalogue d'effets indésirables graves ou modérés, avec notamment une baisse anormale pendant quelques jours des globules blancs (lymphopénie), ce qui signifie une chute du système immunitaire chez plus de la moitié des participants[10]. Aucune trace de cette chute avec le vaccin classique.

Le vaccin à ARNm donne donc des effets indésirables graves ou surprenants, là où un vaccin classique n'en donne pas.

En 2015, on veut soigner le cancer du cerveau et/ou de la moelle épinière avec un vaccin à ARNm

C'est précisément le glioblastome que l'on veut traiter dans cet essai[11]. Huit patients reçoivent le vaccin. Et meurent tous. Ce résultat amène les auteurs à curieusement conclure : « Nous démontrons qu'une stratégie utilisant plusieurs épitopes, vaccination néo-antigène personnalisée, qui a déjà été testée chez des patients à haut risque mélanome, est réalisable pour des tumeurs telles que le glioblastome. » En français : pour eux, la stratégie est une réussite ! Et s'ils osent parler de réussite alors que les patients sont morts, c'est parce que la technique et le savoir avancent…

En clair : le vaccin à ARNm est un échec pour soigner le glioblastome.

Fin 2015, on veut s'immuniser contre la grippe aviaire avec un vaccin à ARNm

Les chercheurs rapportent une bonne réponse immunitaire chez les volontaires, et une quantité d'effets indésirables « légers à modérés ». Ils indiquent : « L'achèvement de ces essais cliniques et d'autres est nécessaire pour confirmer si les vaccins à ARNm deviendront un vaccin efficace[12]. »

Verdict : on ne sait pas si le vaccin à ARNm sera efficace.

En entrant plus dans les détails, on découvre comme effets indésirables : des maux de dos, des douleurs oropharyngées (grosses douleurs en avalant), des infections des amygdales, du pharynx, des voies respiratoires supérieures et du pancréas, mais aussi une cellulite faciale (déformation très dangereuse du visage qui met en jeu le pronostic vital), et de l'hypertension exacerbée. Et même une rupture de kyste ovarien, ainsi qu'un cancer des testicules.

On est alors pour le moins surpris de la diversité et de la sévérité des effets indésirables.

En 2016, on veut soigner l'insuffisance cardiaque associée au diabète de type 2 avec un ARNm

C'est exactement la même technique que celle du vaccin, mais là, changement de nom. On ne l'appelle plus vaccin, mais « médicament ARNm ». Le 15 novembre 2021, Moderna et AstraZeneca lancent des recherches communes sur l'ARNm répondant au doux nom d'AZD8601[13]. Ils injectent l'ARNm directement dans le cœur de sept patients. Le communiqué de presse ne permet pas de comprendre si cela fonctionne. En bref, on n'en sait pas grand-chose mais la phase 2 est enclenchée. S'ensuit un nouveau communiqué de presse qui nous liste les examens faits sur les patients, sans jamais nous donner le moindre résultat. Enfin, on apprend en juillet 2022 qu'AstraZeneca se désolidarise en tout cas de ces recherches[14].

En clair : on doute que l'ARNm puisse soigner l'insuffisance cardiaque.

Fin 2016, on veut immuniser contre Zika avec un vaccin à ARNm

Les moustiques sont porteurs de ce virus, Zika. Cette maladie guérit sans médicament, en moins d'une semaine. Elle n'est crainte que pour la femme enceinte à cause de rares cas de microcéphalies des fœtus (malformations au niveau de leur tête).

Vers la fin de son essai clinique de phase 1, initié fin 2016, Moderna fait un communiqué de presse le 14 avril 2020 dans lequel Tal Zaks, son médecin-chef, déclare : « Je suis encouragé par ces données intermédiaires de phase 1 montrant la capacité de l'ARNm-1893 à provoquer une forte réponse d'anticorps neutralisants[15]. » On a des chiffres, mais qu'on ne peut pas interpréter parce qu'il nous faut comparer deux groupes, et que pour l'un Moderna mesure des anticorps, tandis que pour l'autre ils mesurent un nombre de participants. Je traduis : c'est comme si on devait comparer du chocolat et des moutons, ce qui est, vous me l'accorderez, loin d'être évident…

Conclusion : on ne sait pas si l'ARNm immunise contre Zika.

En 2019, on veut soigner les cancers gastro-intestinaux avec un vaccin à ARNm

Cette fois, la conclusion de l'essai est : « Nous n'avons observé aucune réponse clinique objective chez les quatre patients traités dans cette étude[16] », comprenez que le vaccin à ARNm n'améliore pas l'état des patients.

Cette tentative est donc là encore un échec pour soigner les cancers gastro-intestinaux.

En 2020, on veut immuniser contre le VRS avec un vaccin à ARNm

Le VRS est l'abréviation du virus syncytial respiratoire, responsable de la bronchiolite. Elle touche les bébés et les personnes âgées. Deux essais cliniques ont été effectués avec des vaccins ARNm entre 2020 et 2021[17]. Et comme pour les anti-Covid, Moderna, le laboratoire qui lance l'essai, obtient un *fast-track*. Cela signifie que la FDA (autorité américaine de sécurité des médicaments) et l'EMA (Agence européenne des médicaments) allègent l'examen des médicaments, et que l'on cesse de poser mille questions au laboratoire sur le produit qu'il veut commercialiser.

En 2020, le labo déclare : « À ce jour, Moderna a démontré des lectures de données positives de phase 1 pour huit vaccins prophylactiques[18]. » Ce qui signifie que Moderna a su lire les données de son essai sur des vaccins qu'il présente comme préventifs (prophylactiques), mais pas qu'ils fonctionnent puisque nous n'avons ni chiffres ni liste d'effets secondaires à ce stade.

En 2021, Jacqueline Miller, vice-présidente des maladies infectieuses de Moderna, déclare : « Je suis encouragée par ces données intermédiaires de phase 1 montrant la capacité de l'ARNm-1345 à provoquer une forte réponse d'anticorps neutralisants[19]. » Si elle se sent encouragée, de notre côté nous n'avons toujours ni chiffres ni liste d'effets secondaires, et encore moins de bénéfice qui se dessine pour le patient…

En 2022, nouveau communiqué de presse de Moderna, et je cite cette fois Stéphane Bancel, directeur général : « Nous croyons que notre vaccin candidat contre le VRS a le potentiel de protéger contre plus d'un million d'infections dans le monde chaque année[20]. » Une croyance qui n'est étayée par aucune donnée.

En clair : Moderna nous annonce que son vaccin à ARNm marche, mais sans nous donner le moindre outil d'appréciation ni en 2020, ni en 2021, ni en 2022.

En conclusion, en 2021, au moment où on lance les campagnes de vaccination contre le Covid, on a derrière nous plus de vingt ans de recherches sur l'ARNm et 70 essais cliniques concernant les vaccins ARNm enregistrés sur le site très officiel de ClinicalTrial.gov (site des National Institutes of Health des États-Unis).

Sur ces 70 essais, 17 se sont penchés sur différentes maladies, sans qu'aucun ait dépassé la phase 2. Puis le Covid est arrivé, et ce sont 53 essais d'un coup qui tentent de l'éradiquer. Et là, chez Pfizer et Moderna, on passe de la phase 1 à 2, puis à 3 en un claquement de doigts. Pourquoi ? Parce que les États ont assoupli les réglementations afin que les laboratoires puissent faire leurs essais en mode accéléré. Le fameux *fast-track*.

On nous a répété que les vaccins à ARNm étaient connus et utilisés depuis longtemps, or c'est un mensonge. Albert Bourla, directeur général de Pfizer, accorde le 10 mars 2022 une interview au *Washington Post*, dans laquelle il déclare : « La technologie à ARNm n'a jamais délivré le moindre produit jusqu'à ce jour : ni un vaccin ni aucun autre médicament. » Et en parlant des scientifiques de son groupe, il ajoute : « J'ai été surpris quand ils m'ont suggéré que c'était la façon de poursuivre. » Il conclut : « J'ai suivi mon instinct qui me disait qu'ils savaient ce qu'ils disaient[21]. » Instinct de businessman ? Sans doute…

Mais au fait, quel est le principe de ces vaccins ARNm anti-Covid ?

Jusqu'à présent, se faire vacciner, c'était se faire injecter un virus atténué ou un bout de protéine de virus inactivé. C'est-à-dire que le virus ou le bout de virus étaient rendus inoffensifs. Notre système immunitaire reconnaissait ces corps étrangers et fabriquait immédiatement des anticorps contre eux. On s'immunisait contre les maladies. À partir de septembre 2021, le CDC (Centre pour le contrôle et la prévention des maladies aux États-Unis) change la définition du mot « vaccin[22] ». On ne parle plus d'immunité, mais de protection, sans en connaître l'étendue. C'est une première différence avec la vaccination classique.

Dans le cas d'un vaccin à ARNm, on nous injecte une soucoupe dans laquelle on met de l'ARNm. Le tout est synthétique. Cette technologie de soucoupe est d'ailleurs la même que celle utilisée avec les vaccins ARNm contre la grippe aviaire et contre la rage... ceux qui ne marchaient pas. Cette soucoupe échappe donc à la surveillance immunitaire qui est chargée de faire des anticorps. Ainsi, contrairement à ce qui se passe pour toute autre vaccination, notre système immunitaire ne réagit pas en fabriquant des anticorps sur-le-champ, car il ne détecte pas de virus. En tout cas, pas à ce stade. Il s'agit de ces fameux quinze jours où l'on vous indiquait que vous n'étiez pas protégés... « Il faut du temps à votre corps pour se protéger », écrit le CDC. « Les gens sont considérés comme complètement vaccinés deux semaines après leur première injection. » Ce délai est donc une seconde différence fondamentale.

La soucoupe fusionne alors avec nos cellules, comprenez que l'ARNm entre en elles. Là, les cellules se transforment d'un coup en usine à produire ce que l'ARNm vaccinal nous force à produire. Avec cette injection, un nouvel ordre arrive. Nos cellules sont ainsi reprogrammées, car l'information de cet ARNm synthétique est conçue pour s'imposer, être exécutée avec une forte productivité. CureVac – laboratoire allemand – parlera d'une « clé USB » qui donne les ordres à vos cellules. « Vous pouvez simplement brancher la clé USB dans le corps, elle lit les informations, fabrique toutes les protéines que vous voulez[23] », nous explique le cofondateur de CureVac en parlant de l'ARNm. C'est en tout cas ce forçage au sein même de nos cellules, et donc de nos organes, qui est la troisième différence fondamentale avec une vaccination classique.

Dans le cas du vaccin Covid-19, l'ordre est donné de fabriquer une protéine de SARS-CoV-2 : elle s'appelle Spike. Mais cette protéine du virus n'a pas été inactivée. Elle n'est donc pas rendue inoffensive. Quatrième différence donc. C'est encore une fois totalement inédit dans toute l'histoire des vaccins. Contrairement aux vaccins classiques, on n'essaie pas de nous faire produire une Spike qui soit moins toxique, ou incapable de se lier à nos cellules. On s'attend à ce que notre organisme produise des anticorps contre la protéine, en ignorant toutes les autres conséquences que cette protéine de virus, qui est active, peut avoir sur notre organisme.

Cinquième différence et pas des moindres : notre corps se retrouve dans une situation particulièrement inconfortable. En effet qu'est-ce qui empêche nos systèmes de défense immunitaire d'attaquer nos propres cellules qui produisent cette spike étrangère ? Rien. Ce sont donc nos cellules qui produisent la protéine de virus, et c'est notre propre défense immunitaire qui va attaquer les cellules qui la génèrent. En clair, il n'est pas exclu que ce type de vaccination débouche sur une autodestruction partielle de notre corps, et ouvre la porte à de possibles maladies auto-immunes. Une crainte de réponse auto-immune qui semble déjà justifiée avec l'observation de patients souffrant du cœur après la vaccination. En analysant la paroi musculaire du cœur (le myocarde) d'individus vaccinés, les scientifiques ont retrouvé la protéine Spike ainsi que des cellules immunitaires inflammatoires[24]. La présence de ces cellules au niveau de Spike évoque, hélas, la signature d'une réponse auto-immune.

Mais nous avons encore un autre problème : avoir choisi Spike n'était pas une bonne idée. Comme vous le savez, les virus mutent tout le temps. En juillet 2020, on avait déjà recensé plus de 15 000 variants du SARS-CoV-2[25]. Des variants qui compromettent la spécificité des tests PCR, comme celle des anticorps. Autrement dit, le vaccin nous fait produire des anticorps périmés face aux nouveaux variants. C'est ce qui est arrivé avec Alpha, Beta, Gamma, Delta, Omicron *and family*… Ce n'est pas moi qui le dis mais le patron de Moderna. Le 11 août 2022 auprès de CNN Business, il déclare : « Alors que le Covid-19 continue de muter, Moderna devra continuer à mettre à jour les vaccins[26]. » Et, afin de bien se faire comprendre, il ajoute : « Beaucoup d'entre nous achètent un nouvel iPhone chaque mois de septembre, où vous obtenez de nouvelles applications et des applications actualisées. »

L'autre problème est que Spike a une particularité inquiétante : elle peut déclencher les mêmes réactions que le SARS-CoV-2 ! Spike a donc la capacité de se retourner éventuellement contre nous. C'est ce que mon collègue Gregory Poland, qui dirige le groupe de recherche sur les vaccins de la Mayo Clinic à Rochester aux États-Unis, explique dans la revue *Nature* en août 2022 : « Je suppose que Spike et le virus se révéleront avoir une liste assez impressionnante de physiopathologies[27]. » Mais que savons-nous de cette liste ?

Nous avons aussi appris qu'avant de disparaître, Spike peut avoir le temps de circuler en se liant à certains organes, dont le cerveau, ce qui est totalement inédit. Et inquiétant. Fin 2020, une étude parue dans la revue *Nature Neurosciences* montre que si l'on injecte Spike dans les veines ou dans le nez d'une souris, Spike circule, passe la barrière protectrice de son cerveau, et là, s'accumule en se collant à la surface des petits vaisseaux[28].

Dans une autre étude, cette fois chez l'homme, on retrouve Spike qui provoque une inflammation typique des maladies cardiovasculaires au niveau des vaisseaux sanguins, et entraîne en plus la formation de caillots[29].

Toujours chez l'homme, on apprend dans une autre étude que Spike est capable de réactiver des séquences de virus dans nos globules blancs[30]. Or on sait que ce genre de réveil peut déclencher cancers, sclérose en plaques, maladies neurologiques comme la schizophrénie, ou polyarthrite rhumatismale, et diabète de type 1.

Mais Spike ne fait pas que circuler, ou atteindre certains organes, non, elle est aussi experte en formation d'agrégats, surtout quand elle se dégrade, par exemple quand il y a de l'inflammation. L'alerte avait été lancée en 2021 par une publication qui montre que si l'on mélange de la Spike avec du plasma d'individus sains, alors on verra des petits caillots se former. Plus tard, une équipe de chimistes suédois précise que Spike peut former des agrégats (des compilements) de type amyloïde, c'est-à-dire les dépôts responsables de certaines démences, notamment comme la maladie d'Alzheimer[31].

Face à tous ces problèmes, les chercheurs ont voulu voir à quel point Spike était toxique. Ils l'ont donc injectée dans un poisson-zèbre. Résultat : le foie, les reins, les ovaires et le cerveau ont été abîmés jusqu'à tuer la pauvre bête. Dans l'étude dont nous parlons, parue en 2022 dans la revue *Science of the Total Environment*, les scientifiques parlent d'« homologie génétique conservée entre le poisson-zèbre et l'homme[32] », ce qui signifie que ce qui est arrivé à Nemo pourrait aussi bien nous arriver...

Les liens entre Spike et les éventuels effets secondaires des vaccins, qu'ils soient cancers, accidents cardiovasculaires ou maladies neurologiques, préoccupent désormais de nombreux scientifiques. Comme le dirait mon collègue Per Hammarström, expert chimiste en protéines de l'université de Linköping en Suède, toujours dans la revue *Nature* d'août 2022 : « Soulever des problèmes de sécurité concernant les vaccins peut être inconfortable. [...] Nous ne voulons pas être trop alarmistes, mais en même temps, s'il s'agit d'un problème médical [...] nous devons y remédier[33]. »

Mais quittons Spike pour nous demander si, en plus de s'être trompés de protéine, on ne se serait pas aussi trompés sur la stratégie contre le Covid...

Pour lutter, et de préférence gagner contre le SARS-CoV-2, les chercheurs ont commencé par choisir la souche de Wuhan. Or, en juillet 2020, on sait déjà qu'une autre souche a fait son apparition. Et celle-ci toucherait 74 % de la population mondiale, selon une étude italienne parue dans la revue *Frontiers in Microbiology*[34]. Bref, nous voici lancés dans une guerre contre un ennemi qui n'est pas le bon. À l'école, on aurait qualifié ça de hors sujet.

Cette stratégie était d'autant plus un non-sens que vacciner contre un coronavirus n'est pas la bonne idée. Comme des scientifiques l'avaient souligné très tôt, dès le 4 décembre 2020 dans le *International journal of clinical practice* : « Sur la base de la littérature publiée, il aurait dû être évident pour tout médecin qualifié en 2019 qu'il existe un risque important pour les sujets vaccinés qu'ils puissent souffrir d'une maladie grave une fois vaccinés, alors qu'ils n'auraient peut-être souffert que d'une maladie bénigne et spontanément résolutive s'ils étaient non vaccinés. » Les risques découverts par les essais de vaccination anti-coronavirus portaient sur le fait que les anticorps facilitent la maladie au lieu de la neutraliser. Sur la base de ce risque, les chercheurs insistaient sur la nécessité d'informer spécifiquement les futurs vaccinés : « Le consentement doit également clairement distinguer le risque spécifique d'aggravation de la maladie Covid-19[35]. » Les vétérinaires se souviennent de certains de ces essais ratés, et de la mort des animaux qu'ils ont vaccinés. Et pourtant, quand le Covid a débarqué, on a aussitôt décidé de retenter le coup, mais cette fois-ci sur l'humanité…

Dans le même esprit, on nous a dit que l'ARNm qu'on nous injectait ne bougerait pas de notre bras et disparaîtrait rapidement de notre organisme. Vous l'avez forcément entendu, puisqu'on nous l'a tambouriné en nous vendant le vaccin. Mais est-ce vrai ? Non.

Quelle est la durée de vie de l'ARNm dans les flacons ?

Réponse : on ne sait pas.

1. **Parce que les conditions de transport des vaccins ont changé à plusieurs reprises.** Prenons la FDA, l'autorité américaine de sécurité des médicaments. En 2021, au moment où le vaccin à ARNm Pfizer contre le Covid arrive sur le marché, elle indique un transport possible entre 2 °C et 8 °C s'il dure moins de douze heures. Cinq jours plus tard, il s'agit de privilégier un transport entre -90 °C et -60 °C. Aujourd'hui, on nous indique que le vaccin doit être transporté entre -90 °C et 0 °C[36]. On peut difficilement trouver plus grande amplitude en termes de températures.

2. **Parce que les conditions de stockage des vaccins ont changé à plusieurs reprises.** Côté CDC, on lit que les vaccins se conservent dix semaines entre 2 et 8 °C, mais l'OMS indique qu'ils se conservent cinq jours. À qui se fier ?

De plus, nous disent les laboratoires, les vaccins ne doivent pas être exposés à la lumière[37]. On peut alors se demander pourquoi tous ces vaccins ARNm sont contenus dans des fioles transparentes…

3. **Parce que les dates de péremption des vaccins ont changé à plusieurs reprises.** Là encore, c'est un peu le chaos, puisque ça bouge environ tous les trois mois.

Prenons le vaccin Pfizer par exemple. Sur le site de l'OMS, on peut lire que le vaccin peut être conservé pendant deux heures quand il est décongelé. Or, le site du CDC indique que le vaccin peut être conservé pendant douze heures après décongélation[38]. Qui croire ?

4. **Et enfin, parce qu'on apprend que les produits de Moderna et de Pfizer sont tous déjà dégradés dans les conditions optimales de transport/stockage**. Certes, moins de 5 % seulement de l'ARNm est altéré[39]. Mais le problème, c'est que 5 % d'ARNm dégradé, c'est un peu comme un steak dont 5 % de la viande serait avariée... Et comme si cela ne suffisait pas, le *British Journal of Medicine* nous alerte en 2021 sur une perte bien plus importante d'intégrité de l'ARN. Le vaccin Pfizer-BioNTech serait dégradé à 55 % ! Juste pour info, sachez que TrialSiteNews (site d'information référençant les essais cliniques) précise que les principaux organismes de réglementation comme la

FDA (autorité américaine de sécurité des médicaments), l'EMA (Agence européenne des médicaments), Santé Canada et la MHRA (autorité britannique de sécurité des médicaments) étaient tous au courant de ce problème[40].

Quelle est la durée de vie de l'ARN messager dans notre corps ?

Réponse : on ne sait pas.

Un peu d'histoire… En 1997 ont lieu de premières études autour de l'ARNm, qu'on cherche à mieux comprendre. Sont alors utilisées des cellules auxquelles on prélève l'ARNm qu'elles produisent naturellement, et dont on mesure la durée de vie, ou plus exactement la « demi-vie ». Pourquoi « demi-vie » ? Parce qu'on ne peut pas déterminer sa durée de vie, donc on parle de « demi-vie ». Résultat : sa demi-vie est de trois heures. Ça ne signifie pas que la durée de vie totale de l'ARNm est de six heures, mais qu'il faut trois heures pour que la moitié de l'ARNm ait disparu[41].

Deux ans plus tard, on étudie toujours l'ARNm, mais cette fois-ci, on le synthétise artificiellement, puis on l'ajoute à des cellules humaines. Nouvelle mesure : entre dix et quinze heures[42]. Pourquoi une telle différence entre les deux études ? Selon le chercheur, c'est justement parce qu'il s'agit d'un ARNm artificiel. C'est visiblement sur la base de ce résultat que les scientifiques affirment depuis deux ans que l'ARN messager se dégrade rapidement, en un ou deux jours.

Sauf que l'histoire ne s'arrête pas là. En 2012, on tente un changement du code génétique de l'ARN. J'entre un peu dans les détails : l'ARN est fait à partir de quatre lettres : A, U, G, C. Or, parmi les nombreuses régulations de l'ARN, la lettre psi est parfois utilisée au lieu du U. Un peu comme on mettrait un peu de piment dans un plat pour en rehausser le goût. Là, les chercheurs vont injecter un ARNm dans lequel ils ont changé quelques U en psi[43]. Cette fois, l'ARNm reste dans le corps de la souris quatre jours, contre six heures sans ce changement.

En 2020, le Covid arrive. On fait une toute nouvelle étude[44]. Cette fois, on remplace systématiquement tous les U par des psi. En clair, on crée un code génétique totalement inédit. Un code qu'on n'a rencontré nulle part, ni chez un être humain, ni chez un animal, ni dans un végétal ou un microbe. Et on l'injecte à l'échelle du monde entier. Quelle est la durée de vie de ce nouvel ARN messager ? On ne sait pas.

Mais on sait qu'il sera moins dégradé. Et qu'avec du psi la productivité de l'ARNm va être augmentée, au détriment d'ailleurs de sa qualité. Or, pour un vaccin à ARNm, fabriquer davantage de protéines, mais de moins bonne qualité, revient à fabriquer des anticorps moins spécifiques, ce qui est problématique. Tout comme ce que l'on a appris en mars 2022, à savoir que la durée de vie de l'ARNm dépasse largement les quatre jours.

Détail glaçant, ce dernier fait n'a été découvert que par hasard ! Les chercheurs en question, qui travaillaient sur l'immunité post-Covid et postvaccinale, s'aperçoivent tout à coup que l'ARNm est encore présent dans le corps deux mois après l'injection du vaccin anti-Covid[45]... Rassurant, non ?

Et le trajet du vaccin à ARNm, quel est-il ?

Autre info qu'on nous a répétée en boucle : injecté dans le muscle, il y reste. C'est faux.

Pour avoir une idée de son trajet, il suffisait d'ailleurs de se pencher sur les études précliniques du vaccin à ARNm anti-H10N8, basé sur la même technologie. En fait, l'ARNm avait été retrouvé dans absolument tous les organes étudiés : le muscle (qui correspond au site d'injection) et le plasma (qui indique une circulation dans le sang), mais aussi la moelle osseuse, le cœur, le foie, l'estomac, les reins, le poumon, le côlon, la rate, les ganglions lymphatiques, et d'autres tissus encore, sans oublier le cerveau et les testicules[46]. On pouvait donc se douter que l'ARNm des vaccins anti-Covid ne resterait pas immobile.

Pour le comprendre, il suffisait aussi de reprendre le trajet d'un ARNm naturel, et de le comparer à celui d'un ARNm vaccinal.

D'un côté, l'ARNm naturel passe du coffre-fort (le noyau d'une cellule) vers le cytoplasme (l'extérieur du noyau), en franchissant une première frontière hypersécurisée et contrôlée. Il peut alors soit rester sagement dans la cellule, soit passer la deuxième frontière, empaqueté dans un exosome, et circuler dans tout le corps. À chacune de ces étapes, l'ARNm naturel fait de très nombreuses rencontres, et subit des modifications très diverses.

De l'autre côté, le vaccin qui contient l'ARNm artificiel nous est injecté, après avoir été mis dans les petites soucoupes. Celles-ci sont faites de nanoparticules lipidiques : les NPL. Les NPL sont comme un suppositoire gras, qui permet à l'ARNm de pénétrer la membrane des cellules tout en augmentant leur temps de circulation dans le corps. Ça signifie qu'elles restent plus longtemps dans le corps, et qu'en toute logique, on va possiblement retrouver l'ARNm dans tous les types de cellules.

Et cela pose un premier problème parce que certains des lipides, chez Moderna comme chez Pfizer, sont listés comme étant hautement toxiques dans les listes réglementaires de produits de sûreté chimique MSDS (fiches de données de sécurité). Mais qu'on ne s'inquiète pas : il nous a été dit par courrier personnel de l'EMA que ce n'était pas grave parce qu'ils étaient en faible quantité, et qu'on ne recevrait que deux doses de vaccin[47]. Deux doses qui se sont déjà multipliées par deux.

De mon côté, j'ai donc essayé de me convaincre de cette prétendue absence de toxicité. Pas facile avec cette étude datant du 19 novembre 2021, réalisée sur des souris auxquelles on a injecté de l'ARNm artificiel sous enveloppe NPL[48]. Résultat : 80 % d'entre elles sont mortes dans les vingt-quatre heures. Avec une injection de 10 microgrammes. On a ensuite injecté la moitié de cela, soit 5 microgrammes, et là, 20 % de souris mortes. Encore moitié moins, et toutes les souris ont survécu, mais on a compris que le côté toxique ne peut pas disparaître du corps. Et que ces millions de nanoparticules lipidiques fragilisent fortement nos cellules. Et chez l'homme ? Les allergies à une modification de ces NPL constituent l'une des trois contre-indications à la vaccination[49]. Pourtant, Pfizer ne rapporte ni réaction allergique ni anaphylaxie sur les 22 000 vaccinés de son étude de 2020[50]. Tandis qu'une étude publiée dans la revue scientifique *JAMA* en 2021, avec un nombre de vaccinés Pfizer équivalents, rapporte 2 % de réactions allergiques et environ 1 pour 4 000 anaphylaxies (réaction allergique engageant le pronostic vital[51]). Étonnants, ces résultats de Pfizer.

Par ailleurs, certains de ces lipides toxiques s'accumulent dans le foie (pour 15 à 20 % de la dose[52]). Et ce que nous ignorons, c'est quand et sous quelle forme dégradée ils en sortiront.

On nous injecte le vaccin à ARNm dans le muscle, et d'après les données de Pfizer on le retrouve dans le sang en moins de quinze minutes, et les soucoupes-ARNm se propagent donc dans tout l'organisme sans que l'on sache quand elles seront détruites. Elles atteignent notre foie (qui gère notre métabolisme), mais aussi notre rate (qui gère notre immunité), nos glandes surrénales (qui fabriquent nos hormones), nos ovaires (qui nous permettent d'avoir des enfants) et notre moelle osseuse (qui gère la production de nos cellules sanguines). La liste ne s'arrête pas là. Les soucoupes atteignent aussi les poumons, les reins, la vessie, les yeux, le cœur et le cerveau[53]. En résumé, poursuivre les injections pourrait amener tout notre corps à un niveau constant d'inflammation chronique et à un épuisement immunitaire, comme l'indique l'étude réalisée sur les souris, et dans laquelle il est indiqué : « Les nanoparticules lipidiques utilisées pour les études précliniques sont hautement inflammatoires[54]. »

En clair, que ce soit chez le rat, la souris ou chez l'homme, l'ARNm atteint des organes de la plus haute importance. Or on a découvert ça en février 2021, en pleine campagne de vaccination. Et « on », c'est Pfizer, qui en donne la preuve dans des tableaux qu'il fournit dans un document confidentiel publié par le gouvernement japonais, et un rapport donné par l'Agence européenne des médicaments (l'EMA)[55].

Documenter le cheminement d'un produit après l'avoir inoculé, cela n'avait jamais été fait auparavant.

Et est-ce que les ARNm sortent de notre corps ?

Certains des ARNm naturels, ceux que notre corps produit, sortent à travers les larmes, la sueur, la salive (en cas de baiser appuyé), l'urine et le lait maternel entre autres. Pourquoi pas tous ? On l'ignore mais ce n'est de toute façon pas dangereux.

En revanche, pour ce qui est des ARNm artificiels, ceux injectés dans le vaccin, ils peuvent se retrouver là où ils ne devraient pas être. L'Institut national de la santé américaine (le NIH), agence de recherche mondialement connue et reconnue, qui a évidemment reçu toutes les études sur le sujet, a décidé de n'en relayer que deux, sans doute parce que ce qu'elles révèlent a de quoi faire peur… Que disent-elles ? Que l'ARNm passe dans le lait maternel. « Trente-six des 40 échantillons de lait maternel dans une étude, et 5 des 309 échantillons dans l'autre avaient des niveaux d'ARNm détectables », selon l'une des deux études. Ces résultats vont dans le même sens que d'autres publications, comme celles dans le *JAMA Pediatrics* le 26 septembre 2022 et aussi dans *Frontiers in Immunology* le 11 janvier 2023[56].

Ne reste plus à espérer que cela n'aura pas de conséquences graves. En attendant, impossible d'évacuer la question. En effet, des observations inquiétantes ont été faites sur des mères allaitantes et leurs enfants – l'information émane de Pfizer. Mais, pour la petite histoire, le laboratoire n'était pas partant pour diffuser ladite information, et s'est bien gardé de partager quelque 450 000 pages consacrées à son produit, qui auraient pourtant pu être bien utiles avant de procéder à des milliards d'injections dans le monde. Qu'on se rassure cependant, le laboratoire avait prévu de nous les donner dans « environ 75 ans et 4 mois[57] », dixit l'agence de presse Reuters en janvier 2022 !

C'était compter sans un juge américain, qui a trouvé que 75 ans et 4 mois, c'était un peu longuet, et a ordonné à la FDA de les publier sur-le-champ[58]. On ne remerciera jamais assez ce juge, car ce que les tableaux contenus dans ces documents décrivent est décapant. Certaines mères allaitantes ont subi une paralysie partielle, n'ont plus eu de lait, ou l'ont vu décoloré. Pfizer ne précise pas de quelle couleur devient le lait, mais dans une autre étude publiée en septembre 2021, le laboratoire parle d'une couleur « bleu-vert ». On apprend de ce même rapport certains changements de comportement chez les enfants : « Les plus courants étaient l'irritabilité, le manque de sommeil, une somnolence significativement plus élevée signalée chez les enfants dont les mères ont reçu le vaccin Pfizer[59]. »

De plus en plus d'informations sur les dangers des vaccins ARNm pour les femmes enceintes font surface, notamment par la réactualisation en août 2022 d'un texte anglais. Selon cette circulaire officielle, la vaccination des femmes enceintes n'est pas recommandée, ni celle des femmes qui allaitent[60]. Pourtant c'est tellement logique, et a fortiori pour un médicament génétique, qui se faufile et qu'on retrouve dans tous les organes où on le cherche !

D'ailleurs, dès le début du processus de recherche, une attention toute particulière a été portée par les laboratoires pour exclure des essais les hommes et des femmes à risque de procréer. Les femmes enceintes ou allaitantes devaient aussi être exclues des essais de vaccins, selon le document de protocole clinique de Pfizer. Le onzième critère d'exclusion, page 42, stipule noir sur blanc : « Femmes enceintes ou allaitantes[61]. » Et, si elles tombaient enceintes pendant l'étude, elles ne pouvaient plus recevoir d'injections, selon les « Critères de règle d'arrêt pour chaque candidat vaccin BNT162b2 », page 65, au paragraphe « Test de grossesse ».

Comment se fait-il alors qu'en mars 2021, dans un document intitulé « Aperçu clinique », Pfizer nous apprend que 50 femmes enceintes faisaient partie de leur essai clinique, numéroté C4591001 ? Je cite : « Au moment de la date limite des données (13 mars 2021), un total de 50 participantes qui avaient reçu du BNT162b2 avaient signalé des grossesses[62]. » Mystère... D'autant que nous ne pouvons consulter aucun suivi, ni de ces mères ni de leurs bébés. Comment se fait-il que nous n'ayons pas d'informations sur 50 participantes ? Au moins 46 avaient reçu le vaccin. Y a-t-il eu des fausses couches ? Y a-t-il eu des problèmes cardiaques, des malformations ou aucun problème ? Des soucis à l'allaitement ou non ? Ces bébés sont-ils plus ou moins vulnérables aux infections ? Aucune information n'est disponible.

Sommes-nous génétiquement modifiés par ce vaccin à ARNm ?

Réponse toute faite et entendue maintes et maintes fois : non, puisque la vaccination ne change pas le génome ! Le NIH, l'Institut national de la santé américaine, et plus précisément sa branche spécialisée sur le génome, le déclare sur son site : « Les vaccins à ARNm sont sûrs et ne peuvent pas altérer votre ADN, et vous ne pouvez pas attraper le Covid-19 à partir du vaccin[63]. ». Ce qu'il y a de bien dans cette phrase, c'est qu'à l'énoncé de deux messages accolés qui n'ont rien à voir l'un avec l'autre, notre curiosité s'allume d'un coup.

Dire qu'ils ne peuvent pas altérer votre ADN est faux, ils le peuvent.

Disons-le tout d'abord avec des mots très simples. Je prends une tomate, je lui injecte un ARNm de singe, empaqueté dans une soucoupe NPL. Le produit injecté va diffuser, les soucoupes vont fusionner avec plusieurs cellules de la tomate, et vont donc fabriquer la protéine de singe. Maintenant, posons-nous la question suivante : cette tomate est-elle génétiquement modifiée ? Oui. Et si l'on remplace la tomate par un humain, et l'ARNm de singe par celui de Spike, est-ce que la réponse change ? Non.

À partir du moment où notre patrimoine génétique est augmenté d'une information génétique, sans savoir quand cessera cette modification, et sans connaître ses impacts génétiques, comment peut-on dire que ces vaccins ARNm ne nous modifient pas génétiquement ? Et comment comprendre autrement les explications de Moderna qui a breveté le terme de « logiciel de la vie » pour décrire cette technologie révolutionnaire d'ARNm ? L'individu change son patrimoine génétique en ce que les scientifiques ont codé. Tal Zaks, médecin-chef de ce laboratoire, précise lors d'une conférence TEDx à Boston aux États-Unis en 2017 : « Je suis ici aujourd'hui pour vous dire que nous piratons en fait le logiciel de la vie. » Il ajoute : « Dans chaque cellule, il y a cette chose appelée ARN messager ou ARNm en abrégé, qui transmet les informations critiques de l'ADN dans nos gènes à la protéine, qui est vraiment ce dont nous sommes tous faits. Ce sont les informations critiques qui déterminent ce que fera la cellule. Ainsi, nous le voyons comme un système d'exploitation [...] Donc, si on peut faire ce changement en vrai [...] si on peut introduire une ligne de code, ou changer une ligne de code, cela entraîne de profondes implications pour tout, de la grippe au cancer[64]. »

J'entre maintenant dans les détails tant cette question de modification est fondamentale pour notre humanité. Commençons par nous demander de quoi nous parlons. Le génome déjà, c'est l'ensemble du matériel génétique d'un organisme. Ce mot résulte de la fusion du mot « gène » avec le mot « chromosome ». C'est donc le livre de la vie de chaque organisme, le nôtre, comme celui des animaux, des végétaux et des microbes.

À quoi sert-il ? À rien de moins qu'à instruire les fonctions indispensables à la vie. Sans lui, pas de vie possible. Il programme le développement, le maintien, mais aussi la reproduction de l'organisme. Le développement, c'est le fait de passer de la cellule-œuf à un embryon, du fœtus à un bébé, d'un enfant à un adolescent, et enfin à l'adulte. Le maintien, c'est le fait de vivre. Et la reproduction, c'est le fait d'avoir des enfants.

Assurer tous ces programmes est un travail de groupe. Par la mise en œuvre de toutes nos informations génétiques, donc tout notre patrimoine : de nos ARN et de nos deux génomes, celui du noyau et celui des mitochondries. Mais aussi par la rencontre avec de nombreux autres organismes, hommes, animaux, plantes, microbes, etc., nos génomes interagissent. Dans le cas des virus, cette rencontre peut être éphémère ou durable. Des bouts de génome de virus peuvent nous envahir et pénétrer au cœur de notre coffre-fort.

Les virus sont faits d'ADN ou d'ARN. Et ce n'est pas parce qu'ils sont faits d'ARN qu'ils ne vont pas envahir notre génome. Comme l'ARN ne peut pas entrer directement dans l'ADN, il passe par une étape de transformation. Celle-ci répond au nom barbare de « transcription inverse ». Une transcription, mais à l'envers, qui va réécrire l'ARN en ADN ! Et alors cet ADN de virus pourra entrer dans le noyau et s'intégrer à notre génome.

Cette compréhension nous vient de la découverte, incroyable à l'époque, faite par Rudolf Jaenisch et son équipe en 1974. Après avoir pris des embryons de souris à un stade très précoce, les scientifiques leur ont injecté de l'ADN du virus Moloney (connu pour déclencher des cancers du sang), et ont ainsi découvert que des séquences d'ADN de ce virus s'étaient intégrées non seulement dans le génome des souris, mais aussi dans celui de leur progéniture. Aujourd'hui, on estime qu'environ 8 % de notre génome est fait de ces séquences de virus, ce qui signifie que des séquences virales ont la capacité d'envahir notre génome, et qu'on hérite de l'histoire de ces rencontres avec des virus.

Des années plus tard, ce chercheur et son équipe se penchent sur le fameux SARS-CoV-2. Et là

– gros pavé dans la mare –, ils montrent que des séquences d'ARN du SARS-CoV-2 peuvent s'intégrer au génome de cellules humaines en culture, c'est-à-dire in vitro. Et comme on doute de ces résultats lors de leur prépublication, l'équipe utilise trois techniques différentes pour le démontrer, qu'elle publie dans la revue de l'Académie des sciences américaine[65].

Et in vivo ? Eh bien là aussi, on savait dès l'été 2020, grâce à une équipe américaine, qu'un bout de coronavirus avait atterri dans notre génome[66]. Un bout si ressemblant au SARS-CoV-2 qu'il partage avec lui 95 % d'identité. Encore un argument permettant de comprendre qu'un bout d'ARN de SARS-CoV-2 peut vraiment s'intégrer dans notre génome. Et pas n'importe où en plus, puisque cette étude montre que ce bout est situé dans le gène NTGN1, impliqué dans la schizophrénie...

Alors comment cela se passe-t-il, puisque c'est de l'ARN et que notre génome est fait d'ADN ? Prenons l'exemple du virus du sida. Ce virus entre dans le corps avec une sorte de « couteau » (qu'on appelle « reverse transcriptase ») qui lui permettra de se faire une place dans le génome. Dans le cas du SARS-CoV-2, le virus arrive sans couteau, mais utilise notre couteau à nous (parce que nous en sommes aussi équipés). Et c'est grâce à ce couteau qu'il peut s'intégrer au génome de nos cellules. Jaenisch rapporte que le SARS-CoV-2 possède vraisemblablement d'autres moyens encore de s'intégrer, mais qu'on ne les connaît pas tous.

Cette publication n'a pas manqué de susciter une controverse folle car évidemment la question sous-jacente est : l'ARN vaccinal peut-il aussi intégrer notre génome, et donc modifier notre descendance ? La réponse est oui !

Ce que l'on sait par une étude suédoise parue en février 2022, et donc très récente, publiée dans la revue *Current Issues in Molecular Biology*, c'est qu'en mettant un peu de vaccin à ARNm en contact avec des cellules humaines en culture, les petits couteaux se réveillent… Et en plus de se réveiller, ils reconnaissent l'ARNm vaccinal, et sont capables de le réécrire en ADN[67]…

Mais ce n'est pas fini. Contre toute attente, une étude de septembre 2022 révèle qu'on a retrouvé la protéine Spike avec son ARNm dans le noyau, dans nos coffres-forts donc, et on ignore tout des conséquences[68]. Alors que le NIH avait dit : « L'ARN messager n'entre jamais dans le noyau de la cellule, qui est là où notre ADN (matériel génétique) est gardé[69]. »

Par ailleurs, la modification génétique peut se situer au niveau épigénétique. Par exemple, certains virus sont capables d'accélérer l'âge épigénétique dans le sang, avec la possibilité d'augmenter les maladies cardiovasculaires. Cela signifie que même s'ils n'envahissent pas le génome, ces virus, dont le SARS-CoV-2, sont capables de modifier l'ADN au niveau épigénétique[70].

L'histoire ne va pas plus loin pour le moment. Cependant, toutes nos connaissances depuis 1974 démontrent qu'il est absolument faux de dire que « les vaccins à ARNm ne peuvent pas altérer notre ADN ». J'irais encore au-delà. Compte tenu de la stabilité inédite de cet ARNm vaccinal, qui persiste dans nos cellules, comment imaginer que, tôt ou tard, cet ARNm ne rencontrera pas un de ces petits couteaux ? Et qui dit rencontre dit réécriture en ADN, donc passage dans le noyau et intégration possibles. Le fait que l'ARNm reste anormalement longtemps dans nos cellules augmente d'ailleurs les risques de cette rencontre.

Mais les surprises ne s'arrêtent pas là. On a même des films qui montrent des cellules en train de fusionner les unes avec les autres, de rapprocher leurs noyaux et de devenir géantes. Ces films nous expliquent que c'est Spike qui réalise ces fusions, encore et toujours cette protéine dont nous sommes devenus l'usine à production à cause des vaccins ARNm. Je cite l'étude : « Il est raisonnable de présumer jusqu'à preuve du contraire que Spike puisse fusionner certaines cellules chez les individus vaccinés[71]. » L'ennui, c'est qu'en fusionnant des cellules, on altère l'épigénétique de l'ADN et que l'on augmente le risque de cancer, donc de modification génétique, encore une fois.

Nous aurions pu nous attendre à ce qu'étudiant un médicament de nature génétique comme l'ARNm, les laboratoires aient d'abord analysé la toxicité de ce médicament sur le génome, tout comme sa capacité à induire des cancers (car génome touché égale souvent cancer). Cela n'a pas été fait avant. Mais cela n'a pas non plus été fait après. Car à la suite de ces études, qui ouvrent la porte à une toxicité possible pour le génome (on parle de génotoxicité), la réaction des laboratoires, comme celle de la communauté scientifique, est étonnamment inexistante. Pourquoi cette absence de réaction ? Parce que, comme diraient mes enfants, « c'est malaisant », ça provoque un malaise.

Pourtant nous devions être en confiance, car comme tous les grands organismes scientifiques, le CDC nous avait assuré que les vaccins Covid « ne changent ni n'interagissent avec notre ADN de quelque manière que ce soit[72] ». Sauf qu'aux États-Unis, la liberté d'information étant une obligation, on serait parfaitement en droit d'interpeller ces organismes, et de leur demander sur quoi ils se fondent pour affirmer telle ou telle chose. Sommé de partager les infos qui lui permettent de nous certifier cette absence totale de changement génétique par le vaccin Covid, le CDC a répondu : « Une recherche dans nos dossiers n'a révélé aucun document relatif à votre demande[73]. » Comprenez : circulez, y a rien à voir !

Imaginer qu'on a injecté ce vaccin à des millions d'hommes, de femmes, de jeunes, et maintenant d'enfants sans avoir pris la moindre précaution pour protéger la molécule la plus intime qui soit : notre ADN, notre génome, notre patrimoine génétique, me plonge dans une perplexité vertigineuse.

Souvenez-vous, vers fin 2021, ces documents de 450 000 pages que Pfizer comptait nous donner après « 75 ans et 4 mois »... Toujours est-il que dans ces mêmes documents, on peut lire, page 30 exactement, une « liste d'effets secondaires d'intérêt particulier[74] ».

Et là, gros choc. Déjà du fait de leur nombre. Pas moins de 15 302 maladies sont listées comme « effets secondaires d'intérêt particulier » par Pfizer !

Pour ne citer que la première ligne et la première maladie : « Syndrome de délétion 1p36 », soit une anomalie chromosomique, en gros, la perte d'un bout du chromosome 1. Et qui dit perte d'un bout du chromosome 1 dit : « Dysmorphie faciale distinctive, une hypotonie, un retard de développement, une déficience intellectuelle, des crises d'épilepsie, des malformations cardiaques, une absence ou un retard d'acquisition du langage et un retard de croissance prénatal. » C'est ce qu'on peut lire dans Orphanet, la bible des maladies génétiques. Une maladie handicapante faite de malformations (visage et cœur) avec déficience intellectuelle, et état de faiblesse musculaire. Et je le rappelle, ce n'est que la première ligne d'une liste interminable et terrifiante…

Comment un vaccin à ARNm peut-il avoir le moindre lien avec la délétion d'un bout de chromosome ? En me penchant longuement sur les maladies listées par Pfizer comme effets secondaires, j'ai eu la désagréable surprise d'y trouver non pas une, mais 90 maladies génétiques, répertoriées comme telles par l'organisme Orphanet.

On espère donc avoir une explication sur ces 15 302 maladies, et en particulier ces 90 maladies génétiques, qui figurent comme des effets secondaires du vaccin…

Et pendant qu'on y est, on ne cracherait pas non plus sur une explication de la Croix-Rouge américaine. Parce que figurez-vous que cette institution, chargée parmi d'autres de la transfusion de sang aux États-Unis, annonce le 19 avril 2021 dans un tweet qu'elle n'utilise que le sang de non-vaccinés[75]… Étrange, non ?

5

Big Pharma, sauveur du genre humain

Ce chapitre ne posera qu'une seule et unique question : pouvons-nous faire confiance aux laboratoires ? Et la réponse est : oui, trois fois oui. Mais je ne vais pas vous cacher que nous ne pourrons arriver à cette confiance que grâce à un mouvement d'imagination. Un grand écart en fait. Pour oublier que :

- Big Pharma a fait l'objet de condamnations par centaines ;
- Big Pharma commercialise un vaccin anti-Covid dont les essais ne sont pas terminés ;
- Big Pharma vend un vaccin anti-Covid au monde entier à un prix hallucinant.

Des condamnations en pagaille pour tous les laboratoires

On dirait le nom d'une déesse grecque, pourtant le mot thalidomide désigne bien un médicament.

On le connaît aussi sous le nom « Softenon », surtout pour avoir déclenché le tout premier scandale sanitaire, dans les années 1950. Vendu comme le remède miracle contre la lèpre et la grippe, ce produit avait alors provoqué des malformations congénitales graves chez les nouveau-nés, des surdités, des paralysies faciales et des anomalies cardiaques, entre autres. Notons qu'aucun effet secondaire n'avait été déclaré par le laboratoire Grünenthal sur les notices. En même temps, c'est logique : il n'y avait pas de notices dans les boîtes de médicaments... Double drame : les docteurs décident, sans être évidemment au fait de ce que la molécule provoque puisqu'on est au début de sa commercialisation, de le prescrire allègrement aux femmes enceintes. Pourquoi ? Parce que le médicament en question calme les nausées.

Il faudra attendre les premières naissances d'enfants de mères ayant ingurgité le Softenon pour qu'on ait des doutes sur le fait qu'il fasse du bien, et les années 1960 pour que le lien soit clairement établi entre le médicament et les malformations (entre autres) des bébés. Le produit est interdit en toute hâte, mais un peu tard, puisque 20 000 enfants en ont déjà payé le prix. La moitié d'entre eux sont morts avant leur premier anniversaire, et les 10 000 autres sont aujourd'hui adultes et subissent encore les répercussions de cette médication.

Mais rassurons-nous, le laboratoire Grünenthal a depuis demandé pardon, en 2012 exactement. Passons sur le fait qu'il ait présenté ses excuses soixante ans après le délit. Ne faisons pas non plus cas du fait qu'il ne l'ait fait qu'après avoir été attrapé…

Pourquoi ai-je décidé de vous raconter ce scandale ? Parce qu'il a servi de base aux législations européennes pour renforcer les contrôles sur les produits pharmaceutiques. Parce qu'il a permis que plus jamais un tel scandale n'éclate à nouveau. Du moins dans nos rêves. Car dans la réalité, il me faudrait près de mille pages de plus pour citer toutes les affaires ayant entaché les laboratoires, ceux-là mêmes qui sont censés nous soigner. Je ne vais donc en citer que quelques-unes.

Depuis la fin des années 1990, les opioïdes ont fait plus de 564 000 morts aux États-Unis[1]. L'OxyContin par exemple est un antidouleur à base d'opioïdes, qui a la particularité d'être follement addictif. On apprendra plus tard que le laboratoire Purdue Pharma connaissait son caractère très addictif, et a malgré cela mis en place une campagne de promotion pour le moins agressive[2]. Il a notamment déployé des visiteurs médicaux (des commerciaux) auprès de centaines, que dis-je, de milliers de médecins à travers le globe. Leur mission étant évidemment de vendre l'OxyContin.

Mais rassurons-nous, le laboratoire Purdue Pharma s'est, comme le laboratoire Grünenthal, excusé depuis. Évidemment je plaisante. En 2021, un juge américain a condamné le groupe à verser 4,5 milliards de dollars aux victimes et aux institutions touchées, comprenez celles qui l'avaient prescrit, en échange de l'immunité pour ses propriétaires.

Des exemples prouvant l'éthique indéfectible des laboratoires, il y en a encore par paquets. Je vous en sers un ou deux derniers, pour la route. Le Vioxx, un anti-inflammatoire, est à l'origine de 160 000 attaques cérébrales et crises cardiaques et d'au moins 60 000 morts rien qu'aux États-Unis. Le Mediator, un médicament contre la fatigue et la faim, a fait environ 2 000 morts. Le Distilbène, prescrit pour prévenir les fausses couches, a, lui, valu à ses consommatrices des cancers génitaux, mais a aussi transmis des risques aux générations à venir. Il y a eu un doublement du risque de cancer du sein pour les filles exposées in utero. Les enfants de la troisième génération ont pour leur part eu un risque accru d'infirmité motrice cérébrale, et un taux de prématurité élevé. Je m'arrête là.

Ou pas. Parce qu'il serait dommage de ne pas parler du scandale du Levothyrox, d'autant que c'est l'un des derniers en date ayant valu une condamnation à un laboratoire. Ce médicament, prescrit contre l'hypothyroïdie (dérèglement de la glande thyroïde), fonctionnait semble-t-il correctement, avant que le laboratoire n'en change la formule, oups... oubliant d'en informer ses utilisateurs. Problème : la nouvelle formule provoque fatigue, maux de tête, insomnies, vertiges, dépression, douleurs articulaires, musculaires et alopécie, c'est-à-dire la perte des poils et des cheveux. Bref, le laboratoire (Merck) a donc été condamné à indemniser à hauteur de 3,3 millions d'euros les 31 000 utilisateurs français l'ayant poursuivi. Mais pas à enlever le médicament du marché... Aujourd'hui, juste en France, quelque 2,5 millions de patients utilisent quotidiennement la nouvelle formule du Levothyrox, selon Merck[3].

Cette fois, je m'arrête vraiment. Mais pas avant d'avoir abordé le cas de Pfizer, ce laboratoire dont le nom vous est forcément aussi familier que celui de vos enfants puisque nous parlons là de l'entreprise pharmaceutique produisant désormais l'un des vaccins les plus utilisés du monde, celui contre le Covid bien sûr.

Il est parfaitement exact de dire que Pfizer a été condamné à plusieurs reprises par la justice de différents pays, dont une fois en 2009 à une amende de 2,3 milliards de dollars, un record tous laboratoires confondus ! Cette entreprise pharmaceutique avait été épinglée pour « pratiques commerciales frauduleuses » et « bakchichs » à des médecins selon le ministère de la Justice américain. Cela concernait notamment l'anti-inflammatoire Bextra, retiré du marché en 2005 à cause de ses effets secondaires. Quatre ans plus tard, il est condamné en raison de la manière dont il a été vendu[4]. Espérons que leur vaccin anti-Covid est plus fiable que leur morale…

En 2012, Pfizer a reçu une amende de 60 millions de dollars dans une affaire de corruption[5]. Le laboratoire aurait « pris des raccourcis pour développer ses affaires dans plusieurs pays d'Eurasie, en versant plusieurs millions de dollars de pots-de-vin à des responsables gouvernementaux en Bulgarie, Croatie, Kazakhstan et Russie », selon, là aussi, le ministère de la Justice américain.

Il est également parfaitement exact de dire que l'entreprise a été accusée d'avoir testé des antibiotiques sur des enfants nigériens sans l'accord de leurs parents[6], et avant surfacturé des médicaments[7] ; son patron a lui été accusé d'avoir fait des déclarations trompeuses sur ses médicaments[8]. Et il est également parfaitement exact de dire que le laboratoire a été condamné – j'ai gardé le meilleur pour la fin – pour valves cardiaques défectueuses[9]. Espérons, encore une fois, que leur vaccin anti-Covid est plus fiable que leur morale…

Et si ce n'est pas le cas, rassurons-nous. Lors du marché passé avec Pfizer pour l'achat de milliards de doses de leur vaccin anti-Covid, la Commission européenne a vérifié que le laboratoire avait, depuis ces scandales, une éthique d'acier. D'ailleurs, le 26 avril 2021, la Commission se fendait d'une réponse à une eurodéputée. Cette dernière demandait si le passif judiciaire de Pfizer avait été pris en compte au moment de la signature du contrat pour les vaccins anti-Covid. Dans cette lettre, beaucoup de belles phrases à propos de la quête de l'Union européenne sur la livraison du vaccin avec « des informations fiables sur son innocuité, son efficacité et sa qualité pharmaceutique ». Mais pas un mot sur les condamnations du laboratoire.

J'en terminerai sur l'honnêteté des laboratoires en ajoutant que Pfizer n'est pas le seul à avoir été condamné. Tous les gros laboratoires, à quelques exceptions près, ont été sanctionnés par la justice d'un pays ou d'un autre, dont Pfizer et Johnson & Johnson, soit ceux qui nous vaccinent le plus contre le Covid[10].

Un vaccin commercialisé alors que les phases de tests n'étaient pas finies…

Vous le savez, en général il faut une bonne décennie avant qu'un vaccin soit mis sur le marché. Pourquoi ? Parce qu'en temps normal, après l'étape de la recherche viennent les expérimentations sur les animaux, puis sur les hommes. Cette étape est celle des essais cliniques, qu'on appelle des « phases ». Il y en a trois. À chaque étape, on affine la recherche et on ajoute des participants, afin de garantir la sécurité des futurs utilisateurs du vaccin.

La phase 1 évalue la toxicité du produit. Elle implique peu de patients, quelques dizaines en général. Le candidat vaccin est injecté afin de vérifier qu'il ne pose pas de problème de taille. En un mot, qu'il ne tue personne. Lors de cette phase, on regarde aussi ce que devient le produit dans l'organisme – cela s'appelle la cinétique. Enfin, cette étape permet de définir la dose que l'on injectera plus tard, celle que le corps peut tolérer. En temps normal, ce stade dure entre un et deux ans.

La phase 2 évalue l'efficacité du candidat vaccin. Elle se réalise sur un échantillon de patients plus large, en général sur 100 à 400 personnes. Généralement, c'est là que les laboratoires lancent les essais comparatifs. Ils séparent les groupes de patients en deux. L'un se fait injecter le vaccin, l'autre un placebo (une substance sans aucun principe actif), bien évidemment à leur insu, afin de pouvoir se servir de leur état comme d'une base de comparaison entre vaccinés et non-vaccinés. C'est cette étape qui détermine l'efficacité du vaccin. Et c'est aussi là que l'on ajuste plus finement la dose qui sera administrée si le vaccin est à l'avenir commercialisé. C'est également durant cette étape que l'on commence à scruter d'éventuels effets secondaires. Normalement, cette phase dure entre trois et cinq ans.

La phase 3 élargit le panel de patients. On en teste maintenant plusieurs milliers, de différentes populations, mais aussi avec différents dosages. Elle dure, comme pour la phase 2, entre trois et cinq ans. Ça, c'est la généralité. Mais pour le Covid, les laboratoires ont testé plus de patients. Moderna en a testé 30 000, AstraZeneca, 40 000, Pfizer, 44 000 et Johnson & Johnson, 90 000, sur deux essais. Le but de cette phase est crucial, car il permet d'évaluer le rapport bénéfice-risque du vaccin juste avant sa commercialisation… ou juste après dans le cas du Covid. Parce que cette fois on a, comme qui dirait, fait les choses à l'envers. Oui, vous avez bien lu : on a mis le vaccin sur le marché, et on l'a injecté à tout-va sans avoir fini la phase 3.

Le ministre de la Santé français Olivier Véran a déclaré lors d'une conférence de presse dans les Hauts-de-Seine le 2 juillet 2021 : « Parmi les *fake news* qu'on entend, il y aurait celle qui consiste à dire que le vaccin serait encore en cours d'expérimentation. C'est absolument faux. La phase 3 est terminée depuis des mois, elle est validée. Trois milliards d'injections ont été réalisés sur la planète Terre, les choses se déroulent au mieux, vous pouvez y aller, il n'y a aucune inquiétude à avoir. » Mensonge éhonté ! D'ailleurs, en dehors de lui, aucun homme politique d'aucun pays ne s'est exprimé sur le sujet. Officiellement et à travers le monde, les dirigeants d'une même voix ont dit : « On vaccine à fond ! » sans expliquer que la phase 3 n'était pas terminée. Incroyable mais vrai.

J'ai pour ma part demandé sur moult plateaux télé, fréquences radio, en audition au Sénat français et à la Chambre des députés du Luxembourg : « Euh… on n'attend pas la fin de la phase 3 ? »

Une inquiétude d'autant plus vive qu'aucune étude de pharmacologie de sécurité n'avait été effectuée, et qu'aucune n'était en cours. De quoi s'agit-il ? Tout simplement d'une batterie d'examens réglementaires européens et internationaux incontournables, qui s'assure que les effets du candidat médicament ne sont pas nocifs pour les fonctions vitales.

Pire, on n'avait pas non plus la moindre étude de cancérogénicité. Quoi donc ? Oh, trois fois rien, juste la propension du candidat médicament à provoquer le cancer.

On continue : pas non plus d'étude de génotoxicité, alors qu'on est pourtant face à un produit génétique.

Enfin, pas non plus la moindre étude d'interaction avec d'autres médicaments. C'est vrai que personne n'en prend, des médicaments. Le sujet n'a donc pas été étudié. Pas plus que la pharmacodynamique secondaire, c'est-à-dire l'impact que le candidat médicament peut avoir sur des cibles indésirées, des dommages collatéraux[11].

D'aucuns me diront qu'il était urgent d'agir, qu'on n'avait pas le temps de prendre ces précautions. Je dirais qu'il était surtout urgent de ne rien faire avant que la phase 3, et les examens que j'ai énumérés, ne soient terminés. En clair, qu'on soit sûrs que le vaccin n'est pas plus nocif que l'inertie.

D'après les données du site ClinicalTrials.gov du National Institute of Health des États-Unis, la date de fin de l'étude clinique de la phase 3 pour le vaccin de Moderna, qui correspond à la date finale de collecte des données, était annoncée pour le 29 décembre 2022… Il faudra attendre le 15 février 2023 pour Pfizer/BioNTech, le 24 février 2023 pour AstraZeneca, et le 31 mars 2023 pour Janssen.

Seuls Moderna et Pfizer ont reçu une autorisation pour les moins de 18 ans. Leurs essais cliniques concernent les 6 mois à 11 ans. La fin de phase 3 pour les enfants est prévue pour le 12 novembre 2023 pour Moderna, et le 24 mai 2024 pour Pfizer. En attendant, pas d'inquiétude, seule 70 % de la population mondiale est vaccinée…

Citons maintenant un rapport de l'Assemblée nationale et du Sénat rendu le 9 juin 2022[12]. « Face à l'urgence sanitaire et dans un souci d'efficacité, l'Agence européenne des médicaments a mis en place pour la première fois pour les vaccins contre la Covid-19 un système d'examen en continu pour les demandes AMM (autorisation de mise sur le marché), appelé *rolling review*. Les données obtenues par les laboratoires [...] sont communiquées en temps réel aux agences sanitaires, afin de réduire le temps nécessaire à leur évaluation qui dure environ un an en temps normal. » Cela signifie que les AMM sont accordées sur les seuls dires des laboratoires. Et cela, lorsque l'on décide de vacciner l'espèce humaine tout entière, ça pose question…

Dans ce même rapport on peut ensuite lire : « Sur la base des données fournies par les laboratoires, les différents vaccins contre la Covid-19 ont pu bénéficier d'autorisations de mise sur le marché conditionnelles [...]. Cet aspect conditionnel a été source de nombreuses critiques, certains citoyens ayant le sentiment de “faire partie d’une expérimentation”. Pourtant, l’octroi d’une AMM conditionnelle doit répondre à de nombreuses règles [...] plusieurs conditions sont requises : un rapport bénéfices/risques positif en l’état des données disponibles ; une probabilité élevée quant à la capacité du laboratoire à fournir les données complètes après l’autorisation ; une réponse à un besoin médical non satisfait. »

Un « rapport bénéfices/risques positif en l’état des données disponibles » ? Mais comme on sait que c’est le laboratoire qui établit les données, cela signifie qu’il est juge et partie, c’est bien cela ?

« Une probabilité élevée quant à la capacité du laboratoire à fournir les données complètes après l’autorisation ? C’est-à-dire fournies dans combien de temps ? Dans 75 ans ?

« Une réponse à un besoin médical non satisfait » ? Si l’on répond oui à ce point, cela revient à mépriser des milliers d’études mondiales publiées dans les plus grandes revues scientifiques, mettant en avant l’utilisation de la vitamine D, de l’ivermectine, sans même mentionner l’azithromycine, l’hydroxychloroquine, etc. Mais je préfère laisser cette question à la déontologie de chaque médecin au regard de son serment d’Hippocrate... Sa responsabilité est de rechercher par lui-même et non d’obtenir des réponses toutes faites, puisqu’il y a polémique, et donc d'aller à la source, car il s'agit de la vie de ses patients. L'histoire nous a appris qu'en tant que chercheur ou médecin, il faut envisager qu'un jour, peut-être, une cour pénale internationale nous demandera des comptes.

Un prix de vaccin hallucinant

OXFAM est une confédération internationale rassemblant vingt organisations à travers le monde entier, organisations qui luttent principalement contre la pauvreté et la famine. OXFAM est la seule ONG à avoir été nommée au prix Nobel de la paix, c'était en 1992. Maintenant voyons ce qu'a dit, ou plus exactement écrit cet organisme ces derniers mois :

« Pfizer, BioNTech et Moderna, les grandes entreprises à l'origine des trois vaccins les plus utilisés dans la lutte contre le Covid-19, ont réalisé des bénéfices records de 1 000 dollars par seconde en 2021.

Plus largement, les bénéfices annuels de ces entreprises sont estimés à 34 milliards de dollars avant impôts, ce qui représente plus de 1 000 dollars par seconde, 65 000 dollars la minute ou encore 93,5 millions de dollars par jour. Par ailleurs, les profits faramineux des groupes pharmaceutiques ont permis l'émergence de neuf nouveaux milliardaires.

Dans une communication de février 2022, Pfizer a annoncé que l'entreprise prévoyait de réaliser 54 milliards de chiffre d'affaires grâce à la vente des vaccins et traitements anti-Covid en 2022.

Ces chiffres sont basés sur les derniers rapports des entreprises qui ont été publiés lors du sommet annuel STAT réunissant les P-DG de l'industrie pharmaceutique, les 16, 17 et 18 novembre 2021[13]. »

En résumé : les laboratoires ont réalisé des bénéfices dingues, mais après tout pourquoi pas. Gagner de l'argent n'est en soi pas condamnable. Sauf si, en lisant la suite, on apprend que, je cite : « Pfizer, BioNTech et Moderna ont reçu un financement public de plus de 8 milliards de dollars dans le cadre de la lutte contre la Covid-19. Pour autant, ces sociétés préfèrent privilégier leurs intérêts économiques au bien commun. Malgré les aides perçues, les laboratoires continuent de se faire une marge colossale lors de la vente des vaccins facturés au moins cinq fois leur coût de production. De plus, ces trois sociétés refusent catégoriquement de mutualiser les savoir-faire et les technologies avec les pays en développement qui, contrairement aux idées reçues, disposent de producteurs compétents pour la production de vaccin. » Pour Albert Bourla, P-DG de Pfizer, l'appel à partager les recettes de vaccins est un « non-sens dangereux ».

Dangereux ? En quoi partager les outils de production serait dangereux pour qui que ce soit, si ce n'est pour les actionnaires de Pfizer ? Mais ce n'est pas fini. Nous apprenons dans les colonnes du *Financial Times* à l'été 2021, le 1er août pour être plus précise, que Pfizer-BioNTech et Moderna augmentent le prix de leur vaccin, du moins pour l'Europe[14]. Ainsi, le prix de la dose du Pfizer-BioNTech passe de 15,50 € à 19,50 €, tandis que celle de Moderna coûte 21,50 € au lieu de 19,50 €. Cette renégociation représente une augmentation de 25 % pour le premier et 13 % pour le second. Le 24 octobre 2022, on apprend que Pfizer augmente encore son prix, et cette fois la dose passe à 130 dollars[15] !

Avons-nous une idée du prix de revient d'une dose de vaccin Pfizer ? 61 centimes d'euro, selon l'Imperial College de Londres et son étude publiée en décembre 2020 dans la revue *Vaccine*[16]. Dans ces coûts sont pris en compte : les matières premières et les moyens de production. Mais ne sont pas compris : les coûts de finition du produit, c'est-à-dire les fioles contenant le vaccin et le packaging notamment, tout ce qui entoure le produit finalement. Le mensuel *Alternatives économiques* a demandé à l'Imperial College de Londres de lui donner ces informations. « On peut estimer que la partie remplissage-finition d'un vaccin à ARN messager revient à 27 *cents* le flacon de dix doses », a répondu le professeur Nilay Shah, dirigeant du département de génie chimique, en charge de ces questions. Un vaccin Pfizer-BioNTech reviendrait donc à 0,88 dollar et un vaccin Moderna à 2,29 dollars.

Sauf que le prix d'un vaccin ne s'arrête pas là, comme l'a expliqué le chercheur à l'origine de l'étude à l'Imperial College, Zoltan Kis, dans les colonnes du journal *Le Monde* le 9 juin 2021 : « Le prix final du vaccin va inclure d'autres éléments comme les coûts de recherche et développement, les essais cliniques, la distribution, la propriété intellectuelle et les frais juridiques, etc. Il faut aussi ajouter une marge bénéficiaire au prix de vente : en effet, certaines de ces sociétés ont investi des milliards de dollars dans le développement de la technologie de plate-forme de vaccins à ARNm au cours de la dernière décennie[17]. »

Ces explications paraissent justes. Il est vrai qu'un vaccin n'est pas qu'un contenu et un contenant. À la décharge des laboratoires, il y a encore d'autres frais à additionner au coût de revient du vaccin : le dépôt du brevet. Le brevet est ce qui protège la découverte, il est donc impossible de faire l'impasse sur ce coût, sauf à vouloir partager son savoir, ce qui n'est pas le genre de la maison. Bref, le dépôt des brevets coûte une petite fortune. À titre d'exemple, les brevets des vaccins ARNm de Moderna et Pfizer-BioNTech ont coûté 75 millions de dollars à chacun des labos. Sauf que :

1. Ces brevets avaient été déposés bien avant le Covid, en 2005 précisément.

2. Pour développer leur vaccin anti-Covid, ces deux labos ont touché plus de 8 milliards de dollars d'argent public... on aurait presque l'impression de payer deux fois, pas vrai ?

Petite digression pour la France : dans l'Hexagone, les vaccins ont coûté plus de 4,6 milliards d'euros à la Sécurité sociale en 2021, selon le Comité d'alerte sur l'évolution des dépenses d'assurance maladie, le Cadam[18]. Il n'y a pas dans ces chiffres que le prix payé à Big Pharma, mais aussi la campagne de vaccination par exemple, entre autres. Pourtant cette somme est justifiée, du moins selon le ministre délégué chargé des comptes publics de l'époque, Olivier Dussopt, qui précise : « Nous ne serons jamais regardants sur le coût de la vaccination, c'est le meilleur investissement possible pour les Français et pour les entreprises[19]. » En effet, plus personne n'a aujourd'hui le Covid en France, n'est-ce pas ? On peut d'ailleurs en dire de même dans le monde entier ! Il faut juste glisser sous le tapis les 328 214 nouveaux cas en vingt-quatre heures au 7 janvier 2023, et ce juste pour la France[20]. La preuve que ce vaccin, en effet, « c'est le meilleur investissement possible », non ?

Conclusion

Souvenez-vous du nombre de chefs d'État ayant clamé que le vaccin contre le Covid ne serait jamais, au grand jamais, obligatoire. Et pourtant, il l'est, de manière subtile mais réelle. Personne n'a eu un fusil sur la tempe pour aller se faire vacciner, mais ne plus pouvoir avoir de vie sociale, ou ne plus avoir le droit d'aller au bureau, voire être carrément renvoyé de son boulot, est une obligation déguisée.

Concernant les enfants, les gouvernements s'y prennent autrement. On refusera difficilement à un petit d'aller à l'école, pareil pour ses activités extrascolaires, ses visites chez le médecin, le dentiste. Ce serait mal vécu par les parents, et pourrait les amener à s'insurger.

Et les chefs d'État sont bien conscients du fait que les populations se sont laissé vacciner sans être totalement persuadées que le vaccin était LA solution contre le Covid. Je vous rappelle qu'il y a eu des milliers de manifestations dans le monde entier contre la vaccination. Tout cela pour dire que le fil n'a pas rompu, mais que l'on a, à plusieurs reprises, frôlé la limite. La vaccination des enfants est, et les présidents le savent, *le* sujet qui peut vraiment fâcher. Comment expliquer sinon les dizaines d'études de par le monde (en Israël, aux États-Unis, au Québec, en Suisse, en Italie, en Arabie saoudite, en Roumanie, en Grèce, en Jordanie...) demandant aux parents s'ils seraient d'accord pour injecter ces vaccins à leurs chérubins ? Ces études ne sont rien d'autre que des prises de pouls, pour savoir ce que les dirigeants pourront imposer. Ou pas.

Le 15 décembre 2021 paraît une étude dans le *JAMA*, une revue scientifique américaine, où l'on demande aux parents s'ils seraient d'accord pour vacciner leur bambin. Réponse éloquente : « Seuls 27 % des Américains parents d'enfants de 5 à 11 ans souhaitent faire vacciner leurs enfants contre le Covid-19, tandis que 30 % ont déclaré qu'ils ne feront certainement pas vacciner leurs enfants. Un tiers des parents ont déclaré qu'ils "attendraient de voir" avant de décider comment procéder[1]. » Voilà ce qui peut expliquer qu'aucun gouvernement ne fasse pression, alors que le vaccin pédiatrique est déjà administré dans quelques pays et qu'il est dans les starting-blocks dans les autres.

Le 30 juillet 2022 une autre étude paraît dans la revue *Vaccines*. On est en Arabie saoudite, et on demande là aussi aux parents de dire ce qu'ils pensent de la vaccination des enfants, ou plus précisément s'ils pensent – faites bien attention à l'intitulé de la question – que « la vaccination est plus dangereuse pour les enfants que pour les adultes[2] ». Les parents entendent donc que la vaccination est quoi qu'il arrive dangereuse... Et voici la conclusion : « Sur un total de 1 463 parents interrogés, 30,6 % disent que la vaccination contre le Covid-19 peut être plus dangereuse pour les enfants que pour les adultes. »

Le 16 décembre 2021, 7 parents français sur 10 se disent opposés à la vaccination de leurs enfants, selon un sondage Elabe[3].

Le 24 janvier 2022 enfin, une étude chinoise, dans la revue *Vaccines*, se révèle très intéressante car il s'agit d'une méta-analyse, c'est-à-dire d'une étude qui en rassemble plusieurs, ici vingt-neuf. Et voici ce qui est écrit : « Le taux estimé d'acceptation de la vaccination dans le monde était de 61,40 %[4]. » Cela signifie donc que près de 40 % des parents sont contre, toutes nationalités confondues, ce qui est difficilement négligeable.

Ainsi, les chefs d'État ont bien compris qu'ils auraient du mal, et c'est un euphémisme, à nous pousser à vacciner nos enfants avec des vaccins à ARNm. D'abord parce qu'on a saisi qu'ils ne meurent pas du Covid (sauf cas rarissimes), mais surtout parce qu'ils disposent de leur propre immunité, et enfin parce que l'on ne dispose d'aucune étude, et je dis bien aucune, prouvant les bienfaits de cette vaccination sur la santé des enfants.

Sont-ils touchés par ce virus ? Absolument pas. En revanche, d'après le CDC, après avoir reçu une ou deux doses de Moderna ou de Pfizer, environ 10 % des tout-petits voient leur santé impactée[5]. De même, de 1 à 2 bébés sur 100 ont souffert d'un effet secondaire, qui requérait une « assistance médicale[6] », selon l'essai clinique mené par Moderna sur 1 761 bébés et rapporté par la FDA (l'autorité de contrôle des médicaments américaine). Mais on sait aussi que les plus grands enfants sont à risque. Rien que dans son premier rapport compilant les données entre le 14 décembre 2020 et le 16 juillet 2021, le CDC rapportait déjà 14 décès de jeunes entre 12 et 17 ans[7].

Et pourtant, les États forcent le passage. Le 15 juin 2022, la FDA a approuvé l'autorisation de procéder à des injections sur les enfants de 6 mois à 5 ans. Cette autorisation a été immédiatement relayée par la directrice du CDC, Rochelle Walensky, celle-là même qui a reconnu que son agence avait fait semblant de surveiller la sûreté des vaccins pendant une année. Dans un communiqué de presse, elle se félicitait que la vaccination des tout-petits soit à l'ordre du jour : « Nous savons que des millions de parents [...] veulent faire vacciner leurs jeunes enfants, et avec la décision d'aujourd'hui ils le peuvent[8] », tandis que Kathrin Janssen, directrice recherche et développement vaccins chez Pfizer, confessait le 11 novembre 2022 dans la revue *Nature*, juste après avoir quitté son poste : « Nous pilotions l'avion pendant que nous étions encore en train de le construire[9]. »

Maintenant que vous savez tout sur l'ARN, laisserez-vous vacciner vos enfants ?

Quant à vous, poursuivrez-vous votre abonnement vaccinal ?

Remerciements

En premier lieu, j'aimerais remercier ceux qui m'ont donné le goût de la quête scientifique : Gregor Mendel, Louis Pasteur, Alexandre Yersin, le RNA Tie Club.

Mes mentors : Sir Alec Jeffreys et Axel Kahn. Mes inspirateurs : Hildegarde de Bingen, Eric Westhof, Josué Feingold et Jean-Claude Dreyfus, côté scientifique. Claude Monet, Andy Warhol, Salvador Dali et Saint-Exupéry, côté artistique.

L'Inserm qui a toujours soutenu mes travaux de recherche. Mes étudiants et mes collègues car ce qu'il y a de bon dans la science, c'est que c'est aussi une aventure collective ! Cette aventure m'aura menée, maillon après maillon, vers l'ARN, cette chaîne de nucléotides restée longtemps dans l'ombre d'une biologie négligente de l'épigénétique. C'est grâce à eux si je refuse aujourd'hui de voir transformer cette molécule essentielle à notre organisme en outil d'une biotechnologie grossière et brutale.

Et parce que ces trois dernières années ont été plus qu'éprouvantes, je souhaite aussi remercier tous ceux qui m'ont apporté leur soutien par leur affection, leurs prières, leurs questions, leurs observations, leurs encouragements, leurs larmes, leurs peurs, mais aussi par leur propre courage, et certains par leur amitié. La force de leur sympathie est contagieuse. Il y a eu des phares : Luc Montagnier et Vladimir Zelenko. Il y a eu des lumières : Ingrid Hoffman pour ses photos, Kaï Daga et Aliya Sahebally Bibi qui me rappellent tous les jours la chance que j'ai d'être à l'île Maurice.

Il y a eu des compagnons de route : Karim, Walther, Roxana, Emmanuelle, Steve, Tejas, Astrid, Serge, Surya, JB, Emmanuel, Youssef, Blandine, les JAIBD, Dominique, Jacqueline, Marie-Thérèse, et Laetitia, ma filleule… Cette aventure m'aura menée, là aussi maillon après maillon, à une forme d'humanité faite de chaînes humaines inoubliables. C'est grâce à eux que je qualifie aujourd'hui de délire inhumain ce concept d'une vie qui serait assimilable à des data, qu'il faudrait traiter entre l'informatique et la génétique, en vue d'un « humain augmenté ». Par eux, j'ai compris que cette croyance trahissait l'énergie du désespoir d'une technoscience à bout de souffle, qui ne peut que se heurter durement à la réalité, et notamment celle de notre réalité biologique.

Je voudrais vivement remercier ceux qui ont permis à ce livre de voir le jour. Sans Antoine Assaf, je n'aurais jamais pris la plume. Sans mes Sœurs provençales, je n'aurais pas osé, ni sans Matthieu Smyth. Sans Versilio, Albin Michel, et leurs formidables équipes, je n'aurais jamais été au bout. Patiemment et vaillamment, ils m'ont aidée dans cette nouvelle aventure.

Enfin et surtout, j'aimerais dire à Ambre Bartok toute ma reconnaissance, et de tout mon cœur la remercier.

Notes

1. Un vaccin à ARN messager qui tient ses engagements… mais pas tous

1. https://www.lejdd.fr/Societe/coronavirus-plus-dun-million-darticles-sur-lepidemie-ont-ete-publies-dans-la-presse-depuis-le-1er-mars-3974500.

2. https://www.who.int/publications/m/item/covid-19-public-health-emergency-of-international-concern-(pheic)-global-research-and-innovation-forum.

3. https://www.forbes.com/sites/leahrosenbaum/2020/05/08/fueled-by-500-million-in-federal-cash-moderna-races-to-make-1-billion-doses-of-an-unproven-cure/.

4. https://www.businessinsider.com/pfizer-biontech-vaccine-designed-in-hours-one-weekend-2020-12?r=US&IR=T.

5. https://www.bfmtv.com/politique/emmanuel-macron-sur-le-vaccin-contre-le-covid-19-l-espoir-est-la_VN-202012310213.html.

6. https://www.leparisien.fr/international/covid-19-l-allemagne-affrontera-encore-des-temps-difficiles-met-en-garde-merkel-dans-ses-voeux-31-12-2020-8416738.php.

7. https://www.lunion.fr/id291537/article/2021-09-10/

biden-etend-la-vaccination-obligatoire-aux-deux-tiers-des-travailleurs.

8. https://ici.radio-canada.ca/nouvelle/1805545/covid-variant-delta-poutine-vaccination-obligatoire-politique.

9. https://www.euractiv.fr/section/l-europe-dans-le-monde/news/ne-pas-se-vacciner-cest-appeler-a-mourir-selon-le-premier-ministre-italien/.

10. https://www.science.org/doi/10.1126/science.abm0620?url_ver=Z39.88-2003&rfr_id=ori : rid : crossref.org&rfr_dat=cr_pub%20 %200pubmed#T1.

11. https://www.who.int/director-general/speeches/detail/who-director-general-s-opening-remarks-at-the-media-brie fing-on-covid-19---24-november-2021.

12. https://www.nejm.org/doi/full/10.1056/NEJMc220 2092.

13. https://www.ncbi.nlm.nih.gov/pmc/articles/PMC848 1107/.

14. https://www.nejm.org/doi/full/10.1056/NEJMc2210 093.

15. https://phmpt.org/wp-content/uploads/2021/11/5.3.6-postmarketing-experience.pdf.

16. https://vigiaccess.org/ ; http://medicalcrisisdeclaration.com/ ;https://www.gov.uk/government/publications/coronavi rus-covid-19-vaccine-adverse-reactions/coronavirus-vaccine-summary-of-yellow-card-reporting ; https://www.adrreports.eu/en/index.html ; https://apps.tga.gov.au/Prod/daen/daen-entry.aspx ; https://www.health.gov.au/health-alerts/covid-19/case-numbers-and-statistics?language=und#covid19-sum mary-statistics ; https://www.medalerts.org/vaersdb/find field.php?EVENTS=on&PAGENO=8&PERPAGE=10&ESORT=&REVERSESORT=&VAX=(COVID19)&VAX TYPES=(COVID-19)&DIED=Yes.

17. https://openvaers.com/.

18. https://vigiaccess.org/.

19. https://virologyj.biomedcentral.com/articles/10.1186/s12985-022-01831-0 ; https://www.thelancet.com/journals/lancet/article/PIIS0140-6736(22)00089-7/fulltext.

20. https://www.bmj.com/content/378/bmj.o1731/rr-0 ; https://www.cell.com/action/showPdf?pii=S1471-4914%2822%2900103-4.

21. https://www.sciencedirect.com/science/article/pii/S0264410X22010283?via%3Dihub.

22. https://www.berliner-zeitung.de/gesundheit-oekologie/nebenwirkungen-wir-sehen-eine-absolute-risiko-erhoehung-durch-die-mrna-impfung-li.265003 ; en français : https://aitia.fr/erd/effets-indesirables-nous-constatons-une-augmentation-absolue-du-risque-avec-la-vaccination-arnm/.

23. https://papers.ssrn.com/sol3/papers.cfm?abstract_id=4206070.

24. https://brightoncollaboration.us/wp-content/uploads/2020/11/SPEAC_SO1_2.2_2.3-SO2-D2.0_Addendum_AESI-Priority-Tiers-Aug2020-v1.2.pdf ; https://www.who.int/teams/regulation-prequalification/regulation-and-safety/pharmacovigilance/vaccine-safety-net/vsn-members/brighton-collaboration.

25. https://www.i24news.tv/fr/actu/coronavirus/1644423509-israel-coronavirus-10-des-femmes-rapportent-des-cycles-menstruels-irreguliers-apres-la-3e-dose-de-vaccin-etude ; https://www.ncbi.nlm.nih.gov/pmc/articles/PMC8919838/#!po=36.9718.

26. https://jamanetwork.com/journals/jama/fullarticle/2788346 ; https://jamanetwork.com/journals/jamacardiology/fullarticle/2791253 ; https://www.nature.com/articles/s41598-022-10928-z.

27. https://vigiaccess.org/.

28. https://www.sciencedirect.com/science/article/pii/S22 11034822006484.

29. https://onlinelibrary.wiley.com/doi/10.1111/ane.13550 ; https://www.cureus.com/articles/93533-chronic-inflammatory-demyelinating-polyneuropathy-post-mrna-1273-vaccination ; https://pubmed.ncbi.nlm.nih.gov/34480607/ ; https://pub med.ncbi.nlm.nih.gov/34668274/ ; https://onlinelibrary.wiley. com/doi/abs/10.1111/ene.15630.

30. https://www.pfizerbiontechvaccine.ca/fr/why-get-vaccinated-against-covid-19 ; https://pfizerbiontechvaccin eca-preview.dev.pfizerstatic.io/fr/faq-misconceptions#vaccine-first-accrodian.

31. *Ibid.*

32. https://www.scotsman.com/health/coronavirus/anti-vaxxer-concerns-force-removal-of-deaths-by-vaccine-status-data-3571856.

33. https://www.documentcloud.org/documents/22309 653-walensky-letter.

34. https://www.sst.dk/en/English/Corona-eng/Vaccina tion-against-COVID-19.

35. https://www.folkhalsomyndigheten.se/nyheter-och-press/nyhetsarkiv/2022/september/rekommendation-om-allman-vaccination-mot-covid-19-for-barn-1217-ar-tas-bort/.

36. https://www.ouest-france.fr/sante/vaccin/royaume-uni-pas-de-vaccin-anti-covid-pour-les-12-15-ans-en-bonne-sante-2e9bed2e-0ccf-11ec-8f66-1caeab7b63b1.

3. L'ARN, molécule géniale

1. https://www.nobelprize.org/prizes/lists/all-nobel-prizes/.
2. https://pubmed.ncbi.nlm.nih.gov/28424332/.
3. https://pubmed.ncbi.nlm.nih.gov/34793513/.
4. https://www.academie-medecine.fr/les-prelevements-nasopharynges-ne-sont-pas-sans-risque/.
5. https://pubmed.ncbi.nlm.nih.gov/32903849/.
6. https://www.future-science.com/doi/full/10.2144/btn-2019-0092?rfr_dat=cr_pub++0pubmed&url_ver=Z39.88-2003&rfr_id=ori%3Arid%3Acrossref.org.
7. https://pubmed.ncbi.nlm.nih.gov/23613970/.
8. https://wikimonde.com/article/Famine_aux_Pays-Bas_en_1944.
9. https://pubmed.ncbi.nlm.nih.gov/7721275/.
10. https://pubmed.ncbi.nlm.nih.gov/11155503/ ; https://pubmed.ncbi.nlm.nih.gov/16876341/.
11. https://pubmed.ncbi.nlm.nih.gov/34444978/.
12. https://pubmed.ncbi.nlm.nih.gov/31877125/ ; https://pubmed.ncbi.nlm.nih.gov/31235802/.
13. https://pubmed.ncbi.nlm.nih.gov/12354959/.
14. https://pubmed.ncbi.nlm.nih.gov/18291553/.
15. https://link.springer.com › content › pdf › 10.1007 › s00394-020-02390-2.pdf ; https://bmcmedgenomics.biomedcentral.com/articles/10.1186/s12920-020-00748-3 ; https://www.ncbi.nlm.nih.gov/pmc/articles/PMC2657429/.
16. https://journals.plos.org/plosone/article?id=10.1371/journal.pone.0257878.
17. https://www.nature.com/articles/s41421-020-00197-3.
18. https://pubmed.ncbi.nlm.nih.gov/31877125/.
19. https://www.cell.com/cell/fulltext/S0092-8674(14)01436-6.

4. L'ARN messager, molécule aux multiples inconnues

1. https://clinicaltrials.gov/ct2/show/record/NCT02140138?term=mRNA+CV9104+Curevac&cond=Prostate+Cancer&phase=014&draw=2&rank=1 ; https://clinicaltrials.gov/ct2/show/NCT00006430?term=mRNA&cond=Prostate+Cancer&cntry=US&state=US%3ANC&phase=04&draw=2&rank=1.
2. https://clinicaltrials.gov/ct2/show/record/NCT02140138?term=mRNA+CV9104+Curevac&cond=Prostate+Cancer&phase=014&draw=2&rank=1.
3. https://clinicaltrials.gov/ct2/show/NCT00204516?term=mRNA+vaccine&sort=nwst&draw=3&rank=391.
4. https://pubmed-ncbi-nlm-nih-gov.proxy.insermbiblio.inist.fr/34696168/ ; https://pubmed-ncbi-nlm-nih-gov.proxy.insermbiblio.inist.fr/33692796/.
5. https://pubmed.ncbi.nlm.nih.gov/28123889/ ; https://pubmed.ncbi.nlm.nih.gov/30770959/.
6. https://www.sciencedirect.com/science/article/abs/pii/S1521661611003342?via%3Dihub.
7. https://www.ncbi.nlm.nih.gov/pmc/articles/PMC4752409/.
8. https://www.ncbi.nlm.nih.gov/pmc/articles/PMC6580477/.
9. https://www.thelancet.com/journals/lancet/article/PIIS0140-6736(17)31665-3/fulltext ; https://pubmed.ncbi.nlm.nih.gov/33487468.
10. https://pubmed.ncbi.nlm.nih.gov/33487468/.
11. https://www.nature.com/articles/s41586-018-0792-9.
12. https://www.ncbi.nlm.nih.gov/pmc/articles/PMC5475249/.
13. https://www.astrazeneca.com/media-centre/press-

releases/2021/azd8601-epiccure-phase-ii-trial-demonstrated-safety-and-tolerability-in-patients-with-heart-failure.html.

14. https://finance.yahoo.com/news/astrazeneca-drops-moderna-partnered-phase-174639508.html?guccounter=1.

15. https://www.businesswire.com/news/home/20200414005276/en/Moderna-Highlights-Opportunity-of-mRNA-Vaccines-at-its-First-Vaccines-Day.

16. https://www.jci.org/articles/view/134915#B8.

17. https://clinicaltrials.gov/ct2/show/record/NCT0452 8719?term=mRNA+vaccine&cond=Respiratory+Syncytial +Virus+%28RSV%29&draw=2&rank=3 ; https://clinical trials.gov/ct2/show/NCT05127434?term=mRNA +vaccine&cond=Infectious+Disease&phase=2draw=2.

18. https://investors.modernatx.com/news/news-details/2020/Moderna-Announces-Updates-on-Respiratory-Syn cytial-Virus-RSV-Vaccine-Program/default.aspx.

19. https://investors.modernatx.com/news/news-details/2021/Moderna-Announces-Clinical-Progress-from-its-In dustry-Leading-mRNA-Vaccine-Franchise-and-Continues-Investments-to-Accelerate-Pipeline-Development/default. aspx.

20. https://investors.modernatx.com/news/news-details/2022/Moderna-Initiates-Phase-3-Portion-of-Pivotal-Trial-for-mRNA-Respiratory-Syncytial-Virus-RSV-Vaccine-Can didate-Following-Independent-Safety-Review-of-Inte-rim-Data/default.aspx.

21. https://www.washingtonpost.com/video/washington-post-live/wplive/albert-bourla-on-why-mrna-technology-was-counterintuitive-in-producing-an-effective-vaccine/2022 /03/10/c397ca8c-afaa-4254-b860-b2cca54b0ecf_video.html.

22. https://www.cdc.gov/vaccines/vac-gen/imz-basics.

htm ; https://web.archive.org/web/20190317031654/https://www.cdc.gov/vaccines/vac-gen/imz-basics.htm.

23. https://cen.acs.org/business/start-ups/mRNA-disrupt-drug-industry/96/i35.

24. https://pubmed.ncbi.nlm.nih.gov/35805941/.

25. https://www.ncbi.nlm.nih.gov/pmc/articles/PMC7599751/.

26. https://edition.cnn.com/2022/08/11/business/moderna-covid-vaccines-annual-booster-intl-hnk/index.html; https://www.businessinsider.com/moderna-ceo-compares-new-covid-19-vaccines-iphones-2022-8?r=US&IR=T.

27. https://www.nature.com/articles/d41586-022-02286-7#ref-CR6.

28. https://www.nature.com/articles/s41593-020-00771-8#Sec1.

29. https://pubmed.ncbi.nlm.nih.gov/34328172/.

30. https://www.thelancet.com/journals/ebiom/article/PIIS2352-3964(21)00134-1/.

31. https://pubmed.ncbi.nlm.nih.gov/35579205/.

32. https://pubmed.ncbi.nlm.nih.gov/34942250/.

33. https://www.nature.com/articles/d41586-022-02286-7#ref-CR6.

34. https://www.frontiersin.org/articles/10.3389/fmicb.2020.01800/full.

35. https://pubmed.ncbi.nlm.nih.gov/33113270/.

36. https://www.fda.gov/media/145493/download.

37. https://www.fda.gov/news-events/press-announcements/fda-brief-fda-authorizes-longer-time-refrigerator-storage-thawed-pfizer-biontech-covid-19-vaccine.

38. https://www.who.int/docs/default-source/coronaviruse/act-accelerator/20h20_18-jan_comirnaty_20235b_jobaids_vaccine-explainer.pdf?sfvrsn=66d512c6_3 ; https://

www.cdc.gov/vaccines/covid-19/info-by-product/pfizer/downloads/Pfizer_TransportingVaccine.pdf.
39. https://www.bmj.com/company/newsroom/concerns-over-integrity-of-mrna-molecules-in-some-covid-19-vaccines/.
40. https://www.trialsitenews.com/a/a-further-investigation-into-the-leaked-ema-emails-confidential-pfizer biontech-covid-19-vaccine-related-docs-5102039c.
41. https://www.ncbi.nlm.nih.gov/pmc/articles/PMC231832/pdf/171075.pdf.
42. https://pubmed.ncbi.nlm.nih.gov/22334017/.
43. https://pubmed.ncbi.nlm.nih.gov/22334017/.
44. https://pubmed.ncbi.nlm.nih.gov/33301246/.
45. https://www.cell.com/action/showPdf?pii=S0092-8674%2822%2900076-9.
46. https://www.cell.com/action/showPdf?pii=S1525-0016%2817%2930156-9.
47. https://fddlp.org/wp-content/uploads/2021/11/LEX_FDDLP_RapportVaccin_FINAL_AHenrion_Caude_11-nov21.pdf.
48. https://www.cell.com/iscience/fulltext/S2589-0042(21)01450-4?_returnURL=https%3A%2F%2Flinkinghub.elsevier.com%2Fretrieve%2Fpii%2FS2589004221014504%3Fshowall%3Dtrue.
49. https://www.vidal.fr/actualites/27505-les-trois-contre-indications-des-vaccins-a-arnm-comirnaty-ou-spikevax-contre-la-covid-19.html.
50. https://pubmed.ncbi.nlm.nih.gov/33301246/.
51. https://jamanetwork.com/journals/jama/fullarticle/2777417?guestAccessKey=9a14fcd0-198f-4087-a7e1-e1cc6fa7a0d3&linkID=112901050.
52. https://www.docdroid.net/xq0Z8B0/pfizer-report-japa

nese-government-pdf#page=17 ; https://www.ema.europa.eu/en/documents/assessment-report/comirnaty-epar-public-assess ment-report_en.pdf.

53. *Ibid.*

54. https://www.cell.com/iscience/fulltext/S2589-0042(21)01450-4?_returnURL=https%3A%2F%2Flinkinghub.elsevier.com%2Fretrieve%2Fpii%2FS2589004221014504%3Fshowall%3Dtrue.

55. Voir note 52.

56. https://www.ncbi.nlm.nih.gov/books/NBK565969/ ; https://jamanetwork.com/journals/jamapediatrics/article-abstract/2796427 ; https://www.frontiersin.org/articles/10.3389/fimmu.2021.783975/full.

57. https://www.reuters.com/legal/government/paramount-importance-judge-orders-fda-hasten-release-pfizer-vaccine-docs-2022-01-07/.

58. *Ibid.*

59. https://archive.org/details/5.3.6-postmarketing-experience_202203; https://pubmed.ncbi.nlm.nih.gov/34492204.

60. https://www.gov.uk/government/publications/regula tory-approval-of-pfizer-biontech-vaccine-for-covid-19/summa ry-public-assessment-report-for-pfizerbiontech-covid-19-vac cine.

61. https://cdn.pfizer.com/pfizercom/2020-11/C45910 01_Clinical_Protocol_Nov2020.pdf.

62. https://phmpt.org/wp-content/uploads/2021/12/STN-125742_0_0-Section-2.5-Clinical-Overview.pdf.

63. https://www.genome.gov/about-genomics/fact-sheets/Understanding-COVID-19-mRNA-Vaccines.

64. https://www.youtube.com/watch?v=AHB2bLI LAvM.

65. https://pubmed.ncbi.nlm.nih.gov/33958444/.

66. https://pubmed.ncbi.nlm.nih.gov/32503821/.

67. https://www.ncbi.nlm.nih.gov/pmc/articles/PMC8946961/.

68. https://www.biorxiv.org/content/10.1101/2022.09.27.509633v1.

69. https://covid19community.nih.gov/sites/default/files/2021-02/CEAL_mRNA_vaccines_fact_sheet.pdf.

70. https://www.mdpi.com/2076-393X/9/1/3/htm.

71. https://www.oncotarget.com/article/28088/text/.

72. https://www.cdc.gov/coronavirus/2019-ncov/vaccines/facts.html.

73. https://icandecide.org/wp-content/uploads/2022/03/1188-Final-Response-Letter.pdf.

74. https://archive.org/details/5.3.6-postmarketing-experience_202203.

75. https://twitter.com/RedCross/status/1516567706492878851?s=20&t=ts-wKFI9mlzQJ2sVB6FD8Q.

5. Big Pharma, sauveur du genre humain

1. https://www.cdc.gov/opioids/data/analysis-resources.html.

2. https://www.justice.gov/usao-vt/pr/purdue-pharma-lp-pleads-guilty-federal-felonies-relating-sale-and-marketing-prescription.

3. https://www.legifrance.gouv.fr/juri/id/JURITEXT000045388367?dateDecision=&init=true&page=1&query=victime&searchField=ALL&tab_selection=juri ; https://www.lefigaro.fr/actualite-france/levothyrox-le-laboratoire-merck-annonce-sa-mise-en-examen-pour-tromperie-aggravee-20221019.

4. https://www.justice.gov/opa/pr/justice-department-announces-largest-health-care-fraud-settlement-its-history ;

https://www.sec.gov/Archives/edgar/data/78003/000007800309000189/x990902.htm.

5. https://www.sec.gov/news/press-release/2012-2012-152htm ; https://www.lemonde.fr/economie/article/2012/08/07/accusations-de-corruption-pfizer-va-regler-pour-60-millions-de-dollars_1743442_3234.html.

6. https://www.lesechos.fr/2007/07/pfizer-le-nigeria-depose-une-nouvelle-plainte-552906.

7. https://assets.publishing.service.gov.uk/media/594240cfe5274a5e4e00024e/phenytoin-full-non-confidential-decision.pdf.

8. https://www.telegraph.co.uk/news/2022/11/26/pfizers-ceo-rapped-regulator-making-misleading-statements-childrens/?utm_content=telegraph&utm_medium=Social&utm_campaign=Echobox&utm_source=Twitter#Echobox=1669540426.

9. https://www.lexpress.fr/informations/coeur-le-triple-scandale_599370.html.

10. https://www.lesechos.fr/industrie-services/pharmacie-sante/crise-des-opioides-johnson-johnson-ecope-dune-amende-de-572-millions-de-dollars-1126707.

11. https://www.ema.europa.eu/en/documents/assessment-report/comirnaty-epar-public-assessment-report_en.pdf ; https://archive.org/details/Pfizer-vaccine-nonclinical/page/n29/mode/2up.

12. https://www.senat.fr/rap/r21-659/r21-6591.pdf.

13. https://www.oxfamfrance.org/financement-du-developpement/pfizer-biontech-et-moderna-les-benefices-des-industries-pharmaceutiques-nont-pas-connu-la-crise/#:~:text=Les%20derniers%20chiffres%20de%20la,dollars%20par%20seconde%20en%202021.

14. https://www.ft.com/content/d415a01e-d065-44a9-bad4-f9235aa04c1a.

15. https://www.lequotidiendupharmacien.fr/exercice-pro/politique-de-sante/etats-unis-le-vaccin-comirnaty-passera-de-30-130-dollars-lan-prochain ; https://www.reuters.com/business/healthcare-pharmaceuticals/pfizer-covid-vaccine-price-hike-seen-giving-revenue-boost-years-2022-10-21/.

16. https://www.lemonde.fr/les-decodeurs/article/2021/06/09/covid-19-de-la-recherche-au-flacon-comprendre-le-prix-d-un-vaccin_6083481_4355770.html.

17. *Ibid.*

18. *Ibid.*

19. https://www.lesechos.fr/economie-france/social/covid-les-vaccins-couteront-plus-de-3-milliards-deuros-a-la-securite-sociale-en-2021-1287367.

20. https://www.lepoint.fr/sante/covid-19-le-nombre-de-cas-quotidiens-repasse-au-dessus-de-300-000–07-01-2022-2459616_40.php#11.

Conclusion

1. https://jamanetwork.com/journals/jama/fullarticle/2787289.

2. https://pubmed.ncbi.nlm.nih.gov/36016152/.

3. https://www.bfmtv.com/sante/covid-19-7-parents-sur-10-opposes-a-la-vaccination-de-leur-enfant_AN-202112160120.html ; https://www.sudouest.fr/sante/coronavirus/covid-19-7-parents-sur-10-sont-opposes-a-la-vaccination-de-leur-enfant-7370374.php.

4. https://pubmed.ncbi.nlm.nih.gov/35214638/.

5. https://www.cdc.gov/mmwr/volumes/71/wr/mm7135a3.htm?s_cid=mm7135a3_x.

6. https://www.fda.gov/media/159157/download.

7. https://www.cdc.gov/mmwr/volumes/70/wr/mm7031e1.htm.
8. https://www.cdc.gov/media/releases/2022/s0618-children-vaccine.html.
9. https://www.nature.com/articles/d41573-022-00191-2.

Table

Composition : IGS-CP
Éditions Albin Michel
22, rue Huyghens, 75014 Paris
www.albin-michel.fr
ISBN : 978-2-226-48263-1
N° d'édition : 25362/01 – N° d'impression : 2069638
Dépôt légal : mars 2023
Imprimé en France